河出文庫

読者はどこにいるのか

読者論入門

石原千秋

kawade bunko

河出書房新社

はじめに

はじめてのメディアから原稿の依頼があったら、私は多くの場合そのメディアの読者層について質問する。あるいは書き下ろしの本を依頼されたら、編集者が想定している読者層を確認する。この本が想定する読者層は、「大学生以上、知的な大人まで」だと言う。それで内容も文体も書き方も決まる。

せっかく書くのだから多くの読者に理解してもらいたいと思う。だから、研究者には既知のことであっても、詳しく説明したところが多い。研究者だけが読む内向きの本ではないからである。それにそういう風に詳しく説明していると、自分がこれまでいい加減な理解しかできていなかったところも見えてくる。もっとも、これは自己満足かもしれないという気がしないでもないが、勉強し直せたことはありがたいと思っている。

読者についてあれこれ考えていると、名の通った書き手は楽だろうなと思ったり、苦労も多いだろうなと思ったりする。楽だろうなと思うのは、どんなメディアに書くときにも文体を変えなくてすむからだ。たとえば、村上春樹なら村上春樹の文体を読むのが読者の期待だからである。しかしそうだとすると、文体の新しい試みもそうそうはできない。村上春樹はいつでも村上春樹でなくてはならなくなってしまう。長嶋茂雄が「長嶋茂雄をやり続けるのも疲れるんだよ」と漏らしたような時が来るだろうし、それは飽きられるという恐怖とも背中合わせかもしれない。苦労も多いだろうなとも思ってしまうのだ。

かつて三島由紀夫は、自分の小説で読者がむずかしい言葉に出くわしたとき、そのままイメージを喚起できる教養を持っているか、できなければ辞書を引いて確かめてから小説に戻って来ることを求めた（『小説とは何か』新潮社、一九七二・三）。読者に「三島由紀夫」に合わせることを求めたのだ。いま、小説にそれほどの強度はない。だから、たとえばポトスライムというごくありふれた観葉植物について、小説の冒頭部にわざわざ「観葉植物のポトスライム」と書く読者意識をごくふつうのものとして受け入れるのだ（津村記久子『ポトスライムの舟』講談社、二〇〇九・二）。読者意識はジャンルの強度とも連動して、変化する。

読者は、わがままで、気紛れなものだ。読者としての私もそう思う。期待通りで満足したり、期待通りで不満に思ったりする。はたまた、期待をはずされて満足したり、期待をはずされて不満に思ったりする。説明不足を不満に思ったり、説明過剰を不満に思ったりする。

読者はどこにいるのだろうか。よく「一般の読者」と言うが、この言い方が成立するためには、多くの読者が何かを共有していなければならない。それは何だろうか。いわゆる教養の共有を期待できる時代ではない。共通の知識を期待できる時代でもない。だとすれば、共有しているのは「何かを共有している感覚」だけではないだろうか。それをこの本では「内面の共同体」と呼んでみた。

これは政治学者のベネディクト・アンダーソンが、国民国家のことを「想像の共同体」と呼んだのをもじった言い方である。「想像の共同体」が国民国家という人間の外部への志向を持つ共同体だとすれば、「内面の共同体」は〈読者意識／読者としての意識〉という人間の内部への志向を持つ共同体だ。この「内面の共同体」が国民国家形成の大前提としてあったのではないだろうか。ただしそれを明らかにするためには、近代文学研究が読者について考えてきたことをきちんと理解しておかなければならない。そこで、はじめに近代文学研究の流れをかなりの紙幅を使って素描し、その後で読者について中心的に論じた。

しかし、これは後ろを振り返るための本ではない。少なくとも私にとってこの本は、漱石を論じるための、そしてテクスト論の立場から小説を読むための方法の一つ、読者論の中仕切りでもあるが、同時にこれからの課題集でもあるという二重の性格を持つことになったからである。その意味で、この本は私にとってとても意義深いものとなった。私でなくとも、この本の読者がその課題を受け止めて発展させてくれたらと思う。

なお、読みやすさに配慮して、この本では小説テクストを文庫本から引用した。この判断には「本文とは何か」という問題が横たわっているのだが、ここではそれは問わないでおく。引用文中の傍線や傍点は、断りのないかぎりすべて私が施したものである。

読者はどこにいるのか　読者論入門

目次

はじめに　3

第一章　読者がいない読書　15

パラダイム・チェンジは十五年周期／漱石からはじまる／白樺派的感性から作家論へ／高度経済成長期と作品論の近代批判

第二章　なぜ読者が問題となったのか　33

「作者の死」とテクスト論／構造主義から知の転倒へ／ニュー・アカデミズムと文学研究／ポスト構造主義と言語論的転回／主体の複数性／カルチュラル・スタディーズと国民国家論／ポスト・コロニアリズムと政治的正しさ

第三章　近代読者の誕生　59

近代読者の条件／大衆読者の成立／近代から現代へ／近代読者の「外部」／内面の共同体／「内面の共同体」が国民国家を作る

第四章　リアリズム小説と読者　79
二人の読者／リアリズム小説と科学／リアリズム小説と黙読／物語の四つの型／「期待の地平」はどういう意味を持つのか

第五章　読者にできる仕事　101
小説が「終わる」ことの意味／小説のゲシュタルト／空白とテクストの内部にいる読者／「内包された読者」の仕事／「内包された読者」はよく知っている／読書の速度／自由に読めるのだろうか／書き手にできる仕事

第六章　語り手という代理人　131
「小娘」をめぐる物語／伝染する憂鬱／気分とは何か／ボックスシートかロングシートか／語り手という存在＝概念／作中人物と語り手／「私」は語り手なのか／語り手は読者である

第七章　性別のある読者　161
小説と性別の微妙な関係／女として読むこと／主人公とは誰か／読者の性の攪乱／「紫色のおじさん」とは誰か／視点の切り替え／「このままでこんなに自然なのに」

第八章　近代文学は終わらない　189
文学には何も期待しない／内面とは何か／ふるまいと内面／ストーリーとプロット／東野圭吾『容疑者χの献身』／携帯電話の謎／探偵小説の読者

第九章　主人公の誕生　217
ヴァージニア・ウルフから／主人公は読者が作る／二人の主人公／「新奇なもの」への誘い

第一〇章　「女性」を発見した近代小説　241
「女性の発見」と漱石的主人公／試行錯誤の時代／様々な「二人で一人」
おわりに　263
文庫版あとがき　271

読者はどこにいるのか　読者論入門

第一章　読者がいない読書

パラダイム・チェンジは十五年周期

近代文学のはじまりはいつからだろうか。文学史は長い間、日本ではじめて「言文一致体」で書かれた二葉亭四迷『浮雲』からとしてきた。明治二十年頃のことである。ところが最近になって、近代文学が成立したのは明治四十（一九〇七）年前後の自然主義文学隆盛期からだとする論が提案されはじめた。私も、この時期に近代文学が一気に開花したと考えている。それから百年が経つ。近代文学は百年の厚みを持ったのである。

近代の「読者」もそれだけの厚みを持ったことになる。その百年の厚みを持った近代読者の仕組みとはどのようなものだろうか。それを明らかにするためには、パラダイムとは何かというところから話をはじめなければならない。なぜなら、近代読者の誕生自体がパラダイムの変更によるものだからであり、近代文学研究において読者が問題として浮かび上がったのもパラダイムの変更によるものだったからである。この本で問題にしたいのはその両方についてである。さらに、そのようにして誕生した近代読者のふるまいについて論じたいと考えている。

パラダイムは、トマス・クーンというアメリカの科学哲学者が提出した概念である。

「パラダイム＝思考の枠組」と理解していい。それが時代によって変わっていくのがパラダイム・チェンジである。極端な場合には、ある時代に「正しい」とされていたことが、パラダイム・チェンジが起きると、それ以降は「まちがった」ことになってしまうことがある。もっと極端には、ある時代に「論理的」であったことが別の時代には「非論理的」になってしまうことがあるということだ。人類が経験した最も大きなパラダイム・チェンジは、天動説から地動説へシフト・チェンジした、一六世紀のコペルニクス的転回だろう。

こうしたパラダイム・チェンジを視野に入れれば、「論理は普遍的なものではない」ということになる。つまり、「どの時代でも、どこの国でも、どこの地域でも、誰にでも通用する論理などというものはない」と考えるのが、現在の学問の共通理解だと言っていい。それに、もしそうでなければ、学問の変化や定説の変更そのものが起こりえないことになってしまう。少なくとも、現在は人文科学や社会科学の最先端をいっている研究者はそう理解しているだろう。

戦後の日本も「正しさが変わる」経験をした。パラダイム・チェンジを経験したのである。それは、公害問題とオイル・ショックがきっかけだった。

戦後の日本は資源がない国だからと、技術力で加工貿易を行ってきた。それはやや大袈裟に言えば、工業を「正しい産業」と位置づけていたからである。だから、『経済白書』も第二次産業を活性化させ、サラリーマンが増えることが近代化だと主張したのである。さらに、田中角榮の「日本列島改造論」のかけ声に乗って、「開発は善」というパラダイムが正当化された。ところが、一九六〇年代には公害が大きな社会問題として「発見」された。そして、その後一九七三年にオイル・ショックがやってきて、一九六〇年代から、平均して前年比十パーセント前後の経済成長率が十年ほど続いた疾風怒濤の高度経済成長期が息の根を止められた。

すると、一斉に近代批判が始まった。「開発は善」から「開発は悪」へとパラダイム・チェンジしたわけだ。いまは「地球にやさしく」とか「エコ」などが、環境問題や持続可能な社会づくりとして、未来形の正しいパラダイムとなっている。評論やマスメディアの論調も「自然に帰ろう」が大勢を占めている。もっとも、「自然へ帰ろう」は「昔はよかった」という過去形の言説と手を結びがちだ。ところが、その「昔」は「現代以前」どころか「近代以前」を想定しているふしがある。保守的な感性やイデオロギーと手を組んでいる趣があるので、注意が必要だ。

かつてアメリカの国務長官を務めたキッシンジャーは、「日本は何かをはじめて、それを実現するまでにだいたい十五年かかる」という意味のことを言ったらしい。幕末にペリーが来航してから開国するまでに十五年を要したのを皮切りに、近代日本では歴史上の大きなサイクルはほぼ十五年だと言うのだ（中野雅至『格差社会の結末』ソフトバンク新書、二〇〇六・八）。これは、戦後の「現代思想」のサイクルにも当てはまるのではないだろうか。そして、「現代思想」のトレンドはいつも外部からやってくる。戦後の近代文学研究の起源は夏目漱石の文学にあったというのが私の見立てだが、夏目漱石は「明治の現代思想」にドップリつかっていた小説家だったという点を見落としてはならない。

漱石からはじまる

アメリカの比較文学者J・ヒリス・ミラーは「近代西洋文学の発展のなかで、活字文化の発達あるいは近代民主主義の台頭とちょうど同じくらい重要なものが、通常デカルトやロックと関連づけられる、「自己」というものの近代的な意味の発明であった」（『文学の読み方』馬場弘利訳、岩波書店、二〇〇八・一二）と述べている。ミラーは、デカルトのコギトからはじまって、「行為遂行的発話《パフォーマティヴ》の行為者《エージェント》としての私」を経て、脱構築以降の「問題としての主体《サブジェクト》」までをずらっと並べて、それらが何らかの形で文学と関わってきたと言う。近代日本において「自己」というテーマを小説の中心に据えたのが、夏目漱石だったのである。

明治四十年代に書かれた夏目漱石の前期三部作と呼ばれる『三四郎』『それから』『門』は、人間の内面を外側から書くリアリズムの技法を駆使した小説である。ただし、漱石の小説で内面が問題になるのは、むしろ内面が直接的には書かれていない女性の登場人物だったことには、注意しておく必要がある。また、内面を中心的なテーマにする試みはこの時代の小説に共通する問題系だったので、漱石だけがそれをやり遂げたわけではない。

漱石の明治四十年代から大正初期にかけて書かれた後期三部作と呼ばれる『彼岸過迄』『行人』『こころ』は、ある時期までの近代文学研究では「近代知識人の自我の苦悩」がテーマだとされていた。人間には自我があるが、その自我を果てしなく追求してゆく主人公たちが繰り返して登場するのである。自我を追求できるのは知識人の特権というわけだ。その到達点が『こころ』だとされていたのである。

それに対して山崎正和は、漱石はたしかに自我を書いたけれども、決して自我を肯定的には書かなかったと論じている。純粋な自我を追求することはいわばラッキョウの皮むきのようなもので、これも自分ではない、あれも自分ではないと一つ一つ不純な自分を引き剝がしてゆくと、最終的には何も残らない。漱石は、むしろそういう自我の空虚さを書いたと言うのだ（「淋しい人間」『ユリイカ』一九七七・一一）。

「自分」がここにいる。しかし、それはさまざまな自分の複合体としてある。兄や妹としての自分、学生としての自分、友達としての自分、アルバイト店員としての自分――さまざまな自分がいる。そういう役割を通して私たちは社会と繫がっている。ところが、こうした社会との繫がりを不純な「偽の自分」と見なして、つまり純粋な自分ではないと見なして、不純な「偽の自分」をラッキョウの皮むきのように剝いでしまう。そのようにして残ったものが「本当の自分」という主体の最終的な形である。しかし、実はそういう主体の最終的な形はどこにもないことに気が付いてしまったのが漱石だと、山崎正和は言うのだ。

——正確に言えば、このようにして得られた「本当の自分」は主体ではない。主体の残余なのだ。いま主体の最終的な形と呼んだのは、この主体の残余のことである。それはどこにでもあるし、またどこにもない。しかし、機能だけはする（スラヴォイ・ジジェク『仮想化しきれない残余』松浦俊輔訳、青土社、一九九七・一〇）。

たしかに自我を追求していくと、「本当の自分」と「偽の自分」とが乖離していると感じることは誰にもあるだろう。たとえば、私たちは愛想笑いをすることがある。友達があまり上手くはないジョークを言ったとき、友達を傷つけないために笑ってあげる。その時には「笑いたくない自分」が自分の内面の深層にいて、でも「笑ってあげた自分」が自分の内面の表層にいるという感覚を持つだろう。「笑いたくない自分」が「本当の自分」で、「笑ってあげた自分」は「偽の自分」だと感じるわけだ。私の中学生時代や高校生時代には、太宰治の『人間失格』を読んで、「自分はなんて不純なんだろう」と悩むのが青年期の麻疹のようなものだった。「演技する自分」への嫌悪感である。それが人をラッキョウの皮むきに向かわせる。

漱石の後期三部作の特徴は、ラッキョウの皮むきをしても主体の残余以外何も残らないことがわかった地点で終わったのではなくて、主体の残余以外何も残らないことが病的な感覚として感じられる地点で悩む主人公たちが書かれているところにある。漱石文学の主人公たちはその空虚な感覚を誤魔化すためにありもしない罪の意識を持つのだと、山崎正和は言っている。罪の意識を持つ自分だけを「本当の自分」だと信じて、いや、罪の意識を「本当の自分」だと信じて、「自分」の純粋さをかろうじて守ったのである。つまり、「自分」というものの輪郭を罪の意識によってかろうじて守ったのだ。

第二次世界大戦後になってフランスに生まれた、自我の空虚をテーマにした実存主義哲学が持った感覚を、何十年も前に漱石はもう日本で小説に書いていたというのが、山崎正和の漱石評価である。たとえば、現代社会の病理（いつの世でも、こういう風に言いたがる人はいるのだが）を「空虚な自己」というキー・ワードで説明しようとした影山任佐『「空虚な自己」の時代』（NHKブックス、一九九九・一）などはこの延長上にあるだろう。

あるいは、こういう説明のし方も可能かもしれない。「「本当の自分」が実感できた瞬間には必ず「自由」の感覚がある」が、この感覚は「親和的他者の「承認」あるいは内的に想定された一般的他者の「承認」（自己承認）のいずれかが必要」で、つまりは「「本当の自分」の実感は「自由」と「承認」の交差点に生み出される」とするのである。これは、実存的感覚と社会的自我との妥協案だろう（山竹伸二『「本当の自分」の現象学』NHKブックス、二〇〇六・一〇）。しかし、「本当の自分」は主体の残余でしかないのだから、「自由」や「承認」の感覚は幻想にすぎない。だからこそ、漱石文学の主人公たちの悩みは深かったのだ。

白樺派的感性から作家論へ

実存主義哲学と言えばフランスの哲学者サルトルだが、実存主義文学と言えばフランスの作家カミュだろう。『異邦人』である。少し以前のこと、これがみすず書房の「理想の教室」というシリーズに入って、部分的だが新訳になった。そのシリーズでは『異邦人』というタイトルを『よそもの』と訳している。ついでに言えば、同じシリーズに入ったサルトルの小説『嘔吐』は『むかつき』である。いかにも現代風でわかりがいい。

『異邦人』はなぜ実存主義文学の代表作と言われるのだろうか。『異邦人』の主人公ムルソーはピストルでアラビア人を射殺してしまうが、それを裁く法廷で動機を聞かれると「それは太陽のせいだ」と答える。殺人という重大な犯罪を犯したにもかかわらず、その動機はムルソーの内面にはないのだ。自分でも「滑稽だ」とは思いつつも、「太陽がまぶしかった」という偶然が殺したのだと彼は主張するのである。行為と内面が対応していないのだ。

その結果、ムルソーは殺人の動機を他人にも自分にも納得できるようには説明できない。自分自身に対してさえ自分を説明する言葉を持てないのだから、自我は空虚ということだ。言い換えれば、自分が自分にとっても「よそもの」だということだ。これが『よそもの』のテーマである。これはまさに実存主義哲学がたどり着いた自我の空虚の感覚そのものである。付け加えれば、サルトルの『嘔吐』も「むかつき」という否定的な感覚にしか自分を感じられない主人公を書いて、実存的感覚をみごとに小説化してみせた。

おそらく漱石は、こういう自我の空虚さにどこか違和感を覚えながら後期三部作を書いたが、それを反転させて引き受けたのが白樺派なのである。近代文学研究の起源を辿っていくと白樺派に行き着く。それは自我の全面肯定が白樺派の特徴だからである。近代文学研究は長い間その自我肯定の感覚を「近代的自我」と呼んで、近代文学評価のメルクマールとしてきた。森鷗外『舞姫』の太田豊太郎はベルリンで近代的自我に目覚めたとか、志賀直哉『暗夜行路』の時任謙作は長い彷徨の果てにようやく近代的自我を手に入れたとか、そんな風にである。

白樺派の作家たちは、自我を非常に大切にする。武者小路実篤『お目出たき人』の主人公は鶴という女性に恋をする。ところが、恋をするときにも「自我を犠牲にしてまで鶴を得ようとは思わない」と考えるのである。そこで彼は最終的に「自分は自我を発展させる為にも鶴を要求するものである」という理屈を捻り出す。まさに「お目出たい」理屈だ。ここに白樺派的特徴がよくあらわれている。白樺派の作家たちは、自我が空虚だという漱石文学のテーマを反転させて、自我こそが大切なのだという形で受け止めたのだ。ちなみに、白樺派の作家たちの多くは、自然主義文学全盛の時代にあって、自然主義文学に批判的なスタンスをとっていた漱石だけを尊敬していたことはよく知られているだろう。

最近の研究では、白樺派の作家たちが教育を受けた明治三十年代には、イギリスのグリーンという倫理学者の提唱した自我実現説が道徳教育に採用されていて、彼らはそれを教わっていたことがわかってきた。実はこの自我実現説は、その呼び方とは裏腹に公共性を重視するような考え方だったのである。自我を実現すると公共性が身につくと考えたようだ。それを日本が道徳教育に導入したのである（日比嘉高『〈自己表象〉の文学史』翰林書房、二〇〇二・五）。明治三十年代中頃には学生の風紀が乱れているという認識が広まっていたので、公共性を身につけさせようとしたのだろう。

白樺派の特質をあらわす言葉としてよく「人格主義＝ヒューマニズム」が使われる。自我に「人格主義＝ヒューマニズム」をプラスしたのが「近代的自我」だと言っていい。近代的自我はただ自我を肯定しようとするだけでなく、自我実現説のように道徳的要素を含んでいたのである。したがって、おおまかに言えば、戦後期から一九六〇年代までの作家論は、いわば「近代的自我に向けて成長する作家の物語」を論じるのが典型的なパターンだった。この成長物語は、近代文学研究における一つのパラダイムを形成したわけだ。

自我を肯定する白樺派的感性は、近代的自我というキーワードを介して戦後の近代文学研究の柱だった「作家論」へ流れ込んでいった。白樺派の多くは東京帝国大学出身だったが、近代文学研究の第一世代も東京帝国大学の出身者だった。先輩、後輩の仲でもあったのである。そういう繋がりも無視できない。しかし、この流れは必ずしも一直線ではなかった。大正期の半ばに「遊蕩文学撲滅論争」が起き、芸者遊びなどを書いた小説は激しいバッシングを浴びた。そして、その対極に志賀直哉が人格者として祭り上げられたことが、のちに近代的自我が作家論と接続する大きな要因としてあげられる（山本芳明「大正六年——文壇のパラダイム・チェンジ」『文学者はつくられる』ひつじ書房、二〇〇〇・一二）。

　作家論が成立するためには、作家は論じるだけの価値のある特別な人間でなければならなかった。さらに、文学という美を読者に示すことができる、美の体現者でなければならなかった。そうした作家によって書かれた小説を読めば人格が陶冶されるという信念が、小説を国語教育のなかに導き入れたのである。作家論の全盛期は、大学で文学部が必要とされた時期でもあった。なぜなら、大学進学率が十パーセント近くも上昇した一九七〇年代において、大学に進学する女性の受け皿は、家政学部と文学部と教育学部が中心だったからである。高度経済成長期にあっては日本が近代化されてサラリーマンの比率が高まり、それに伴って専業主婦率が最も高くなった。文学部で作家論を行って若い女性の人格を陶冶することは、大学の使命でもあったのだ。

　こうした作家論パラダイムにおいては、たとえば小林秀雄の次のような読書論が研究でも実践されていたのである。

　ある作家の全集を読むことは非常にいいことだ。研究でもしようとするのでなければ、そんなことはまったく無駄事だと思われがちだが、けっしてそうではない。読書の楽しみの源泉にはいつも「文は人なり」という言葉があるのだが、この言葉の深い意味を了解するのには、全集を読むのが、いちばん手っ取り早いしかも確実な方法なのである。（「読書について」『文藝春秋』一九三九年四月、引用は『常識について』角川文庫）

その結果、こうなるのだと言う。

こうして、小暗い処で、顔は定かにはわからぬが、手はしっかりと握ったという具合なかかわり方をしてしまうと、その作家の傑作とか失敗作とかいうような区別も、べつだん大した意味を持たなくなる、と言うより、ほんの片言隻語にも、その作家の人間全部が感じられるというようになる。（同前）

これほどみごとに作家論パラダイムを表現した言葉はそうはない。研究論文でも、「ここに漱石の肉声が響いている」といった巫女さんのような言葉が結論になったり、「これが漱石が晩年に到達した境地であった」と作家の成長物語が語られたりと、なるほどその作家の「真実」が書かれているとして、「ほんの片言隻語」が新たに「発見」されたりしたものだ。

作家論パラダイムにおいては「真理」は作家の側にあるのだから、極端に言えば、読者は自分が読者であるという意識さえ持ってはいなかっただろう。読者は自分を消して、作家の「真理」に触れたと感じられさえすればよかったからだ。研究ではそういう「錯覚」を「学問」として制度化するために、個人全集に収められた日記や書簡が参照されるだけの話である。厳密に言えば、日記や書簡に書いてあったことを小説と結びつけるのは研究者の恣意でしかない。その恣意を必然に見せるのがパラダイムの威力だ。さらに言えば、こうした手続きが「実証的」だと信じられたのは、作家論パラダイムの魔力のせいである。あるパラダイムの内部にいるときには、それが単なるお約束にすぎないという事実が見えなくなってしまうのだ。

高度経済成長期と作品論の近代批判

作家論の時代は、一九七〇年代にはいると、しだいに作品論の時代に移行していった。これが高度経済成長期からそれ以後、ほぼ十五年間の文学研究のあり方だった。この時期は、女性の大学進学率の高まりに伴って、文学部が膨張した時代でもあった。作家論が作品論に移行した理由をシニカルに説明すれば、文学部が膨張したので、卒業論文を書くときに全集を買わない学生が増えたのである。極端に言えば、文庫本一冊で卒業論文を書くような時代になったということだ。

作家論のスタイルで研究するためには全集を買って、少なくとも建前上は、全集を隅から隅まで読まなければならない。しかし、そういう情熱を持った学生は多くはなかっただろうし、実際問題として、全国に大量に生み出された文学部の学生がみんな全集を手に入れることは不可能だっただろう。そこで「文庫本一冊で論じられるお手軽な方法」と皮肉られながらも、作品論の時代に移行せざるを得なかった。これが作品論の時代が到来した物質的基礎である。

二〇〇九年に入って休刊となった『國文學』（學燈社）が、臨時増刊号で『作品別・近代文学研究事典』を刊行したのは一九八七年七月であり、ずいぶん以前に廃業した国文系出版社の雄であった有精堂が『近代小説研究必携』（全三冊）を刊行したのは、一九八八年四月〜八月だったが、これは「なにかが起こっていると人びとが気づいたときにはもう、その流れは完了していたのである」（ウォルター・ジャクソン・オング『声の文化と文字の文化』桜井直文ほか訳、藤原書店、一九九一・一〇）ということだったろう。したがって、実はこのあたりを作品論パラダイムが終焉した時期だったと考えていい。

この作品論の時代には二つの特徴がある。

一つは作家論パラダイムの尻尾がまだあって、作品から「作者の意図」を読み込むことが作品論の最終目的だったことだ。したがって、この時代の作品論には、論証の過程で作家の書簡や日記のたぐいが利用されることが少なくなかった。作品論パラダイムにおいては、「この作品では作者はこういうテーマを書こうとした」と論じるのである。

「これこそが漱石が本当に言おうとしたことである」といった判じ物のような言葉がお決まりの結論になったりしたのも、そのためだった。

しかし、その「こういうテーマ」の内容は、作家論パラダイムをまだ引きずっていたということだ。その結果、何らかのヒューマニティとか人格であるとか、社会に対するある種の批評性をもつような「作者の意図」が想定されていた。つまり、社会的に価値のある「作者の意図」が想定されていたわけだ。これは、文学部がまだ女子学生の受け皿だった時代の、いわば無意識の要請でもあったのかもしれない。文学を学ぶことが良妻賢母的に人格を陶冶すると信じられていた、そして実際にそのように機能していたという意味である。

もう一つの特徴は、先に高度経済成長期以降のパラダイム・チェンジで触れたような近代批判の姿勢が鮮明になったことだ。近代批判の言説が「正しい」と思われるようなパラダイムが形成されたのである。この近代批判は、近代を想像的に超えた地点からなされる未来形の批判と、「反近代」と呼ばれる、近代以前の地点からなされる過去形の批判とに、おおまかに分類することができる。これはいまに至るまで変わらない。これが作品論パラダイムの特徴だ。それだけに、論じる対象である作家よりも、論じる研究者自身のイデオロギーや思想性が前面に出るようにもなった。しかし、まだそのこと自体が問われることはほとんどなかった。

これは、研究者が自分はどのような読者であるかという反省意識をほとんど持たなかったということだ。それは、この時代の近代批判のパラダイムが強固だったからである。したがって、研究者も時代の言説と接続して近代批判をしている限りにおいては、自分が特に近代批判のポジションを選んで研究を行っている読者であることを意識する必要はなかったし、また意識化できなかったのだろう。時代の言説が研究者の自意識に目隠しをしてしまったからだ。それは近代批判のパラダイムが最も成功した証である。

さらに言えば、文学部の存在それ自体の意義がほとんど疑われていなかったことも大きな要因だろう。この時代にあっては、文学部には「外部」がなかったのだ。文学部はそれだけの規模を誇っていたし、教養主義の中心は文学と哲学だったから（竹内洋『教養主義の没落』中公新書、二〇〇三・七）、教養主義が崩壊しつつあったとは言え、文学部にはまだ社会的なステイタスもあった。言ってみれば、文学部が自給自足できた時代だったのである。これが作品論パラダイムが成立し得たもう一つの物質的基礎だった。

作品論パラダイムの時代は、一九八〇年代まで続いた。しかし、まだ作家論パラダイムから遠く離れていなかったとはいえ、作品をある程度作者から切り離して相対的に自立させた意味において、次のパラダイムのための準備期間の役割を果たしたことはまちがいない。

第二章　なぜ読者が問題となったのか

「作者の死」とテクスト論

一九八〇年代にはテクスト論の時代がやってきた。ただし、テクスト論は「方法」ではない。テクスト論は「立場」なのである。別の言い方をすれば、イデオロギーなのだ。それは、さまざまな方法は使ってもかまわないが、作者に言及することだけはしないという立場だ。したがって、作家論の尻尾を引きずっていた作品論パラダイムは、テクスト論の登場によって幕を閉じることになった。もう少し穏やかに言えば、テクスト論の登場によって作品論パラダイムは相対化されることになった。作品論パラダイムが「外部」を持ったのである。

テクスト論を用意したのが、フランスの批評家ロラン・バルトの「作者の死」というエッセイだったことはよく知られている。ロラン・バルトは言語行為論を援用しながら、次のように言う。

> 言語学的には、作者とは、単に書いている者であって、決してそれ以上のものではなく、またまったく同様に、わたしとは、わたしと言う者にほかならない。言語

活動は《人格》ではなくて《主体》をもち、この主体は、それを規定している言表行為そのものの外部にあっては空虚であるが、言語活動を《維持する》には、つまり、それを利用しつくすには、これで十分なのである。（傍点原文、『物語の構造分析』花輪光訳、みすず書房、一九七九・一二）

ここでロラン・バルトが言いたいのは、作者はテクストの言葉として機能しているだけなので、その言葉の向こうに実体としての「作者」を想定する必要はないということである。もちろん、言葉のこちら側に実体としての「読者」を想定する必要もない。たとえば、書いた後に作者がその小説に関して何を言おうと、それはそれ以上のものでもそれ以下のものでもなく、書かれた小説の言葉が変わるわけではない。もちろん作者の自作解説を信じて、小説のテーマの把握を変更するかしないかは読者の自由だ。ただし、それはテクストの外にいる現実の読者である。読む主体は読んでいるその時に機能しているにすぎないと言うのだ。つまり、ロラン・バルトにとっては、読んでいるその時だけが「読者」なのである。「読者」とは働きだと言える。だから、作者はそれに直接関与することはできない。

そして、あの有名な一節が書かれる。

読者とは、あるエクリチュールを構成するあらゆる引用が、一つも失われることなく記入される空間にほかならない。あるテクストの統一性は、テクストの起源ではなく、テクストの宛て先にある。しかし、この宛て先は、もはや個人的なものではありえない。読者とは、歴史も、伝記も、心理ももたない人間である。彼はただ、書かれたものを構成している痕跡のすべてを、同じ一つの場に集めておく、あの誰かにすぎない。（同前）

最後に、ロラン・バルトはこう宣言する。「読者の誕生は、「作者」の死によってあがなわれなければならないのだ」と。これがすべてのはじまりだった。少なくとも、私は「作者の意図など小説を読んでもわかるわけがない」、「小説を読んで作者の言いたいことがわかったなどと論文に書くのは傲慢で、恥ずかしいことだ」という素朴な感覚に根拠を与えてくれたと感じた。

これは他者理解という哲学的な問題でもある。文章によってわかるのはその文章だけであって、それ以上でもそれ以下でもない。たしかに、ある小説を読んで「書いた人は、実はこういうことを伝えたかったんだろう」と感じることはある。言外の意味と言われるものだ。あるいは、強調するポイントがどこかという問題でもある。そういう感じ方を否定するつもりはない。しかし、それは幻想や思いこみにすぎないかもしれない。そして、私は私の疑いの感覚に正直でいたかっただけの話である。

そもそも小説の言葉は作者と読者のコミュニケーションの手段ではない。テクスト論では、文学テクストは現実世界から相対的に自立していて、起源とは接続しないという考え方を採る。この場合の起源とは「作者」のことだ。この現実からの相対的な自立を認めなければ、「作者」は小説中の犯罪に対して法的な責任を負うことになってしまう（ただし、小説は社会的に位置づけられているのだから、社会的な責任を負うことはあるかもしれない）。だから、テクスト論は言葉、言葉、言葉、言葉だ。さまざまな言葉を繋げていく。しかし、作者にだけは分析のベクトルを閉じておくのがテクスト論の立場なのである。

ここであり得べき誤解に答えておこう。それは「テクスト論の立場を採れば、言葉が指し示しているモノや時代背景を参照できないではないか」というものだ。私も昔はそのような誤解に近い立場を採っていた。しかし、もしそれを厳密に行えば、テクストから「意味」さえ読み込めないことになる。「意味」はある限定されたテクスト内の言葉の差異からのみ生成されるわけではないからである。むしろ、豊かな「意味」は、ある限定されたテクストの外部の言葉との差異から生成されるものだろう。

テクスト論は作者にだけは分析のベクトルを閉じておくが、それ以外のいかなる要因にも開かれている。モノや時代背景はいくらでも参照できる。つまり、テクスト論は立場であって、固有の方法は持たないのである。テクスト論の立場に立つ研究者はたとえてみればテストパイロットのようなもので、そのテクストについては一般の読者が採用しないような枠組から読んで、テクストの可能性を限界まで引き出すのが仕事なのだ。

それは、作家論パラダイムから小説テクストを読んで、たとえば「作者の悲哀」しか引き出せないような読み方をするのは、あまりにも貧しいと考えるからである。そして、他者がそのようにいかにも容易に理解できてしまうと考えている点で、あまりにも安易だと考えるからである。

構造主義から知の転倒へ

作者に触れないとすると、いったい何を分析すればいいのだろうか。もちろん、言葉である。テクスト論が言葉を分析するためによく使ったのが、構造主義が用いる二項対立の方法である。この時代によく使われた二項対立のキーワードを挙げておこう。

〈中心／周縁〉〈内／外〉〈大人／子供〉〈心／物〉〈心／体〉〈精神／肉体〉〈社会／個人〉〈男／女〉〈都市／自然〉〈都市／田舎〉〈科学・技術・人工／自然〉〈文化（文明）／自然〉〈文明／野蛮〉〈生／死〉〈光／闇〉〈明／暗〉〈善／悪〉〈新／旧〉〈現実／夢〉〈この世／あの世〉〈自己／他者〉〈個人／共同体〉

構造分析では、一見違って見えるファクターに同じ性質を見出す作業が不可欠だった。この作業において一番よく使われたのが、〈中心／周縁〉という枠組である。もちろん、権力における中心と周縁という意味合いだ。小説テクストの中で何が権力に近いものとして書かれていて、何が権力から遠いものとして書かれているのかを基準に、さまざまな要素をまず分類する。そして、その分類されたものを結びつけたり切り離したりする。どこでどういうふうに結びついているのか、どこでどういうふうに離れているのか、その配置を分析してゆくやり方を採るのである。これがテクストの構造分析の基本だ。

中村雄二郎は、構造主義は「連続的な歴史に非連続的な構造を、直接的な人間にポジティヴ（実定的）な言語を、自由な主体の意識に無意識の支配を、それぞれ対置し、置きかえ」（傍点原文）ることによって、知を「脱中心化、反全体化」する立場を採るとしている。そして「人間的、社会的事象を扱うにあたって、人間活動における言語のシステムのもつ意味を重視し、そうした言語のシステムについての解明方法をモデルにして、現実の隠された構造を明確にとらえる新しい人間科学の可能性をきりひらいた」（傍点原文）のだと結論している。むろん、ソシュールの言語学やラカンの有名なテーゼ「無意識は言語のように構造化されている」などをふまえた結論だ（『知の変貌』弘文堂、一九七八・一一）。

構造主義の意義の一つに、歴史に構造を対置したことが挙げられる。構造主義以前のマルクス主義的な進歩史観では（あるいは進化論的進歩史観と言っていいかもしれない）、時間が過去から未来へと流れるうちに人間は進歩していき、最終的に共産主義体制になると考えられていた。もちろん、この最終的な結論を共有しなくても、進歩という点では多くの人々は歴史を信じていたのである。

　しかし、構造主義はこういう進歩史観に異議申し立てをした。フランスの文化人類学者クロード・レヴィ＝ストロースは『野生の思考』（大橋保夫訳、みすず書房、一九七六・三）において、アフリカの思考はヨーロッパの思考より劣っているのではなく、違った構造の思考（＝野生の思考）を持っているのだと説いて、ヨーロッパ世界に大きな衝撃を与えた。いわば上下関係を並列関係に置き直したのだ。そこで、構造主義とマルクス主義は相性が悪い。

　構造分析の実践例をいくつか挙げよう。

　篠田浩一郎は、能『善知鳥《うとう》』の構造分析を通して、このテクストのアンビバレントな二重性を指摘してみせた。この指摘は、社会は静的な構造ではないことを意味していた（「国文学研究に構造分析は有効か」『文学』一九七八・三）。また、能『蟬丸』の構造分析を行い、貴と賤とが転倒するこのテクストに、たとえば敬語に見られるように、必然的に差別を生み出してしまうような日本語という言語に内在する天皇制の深層構造を読み取っていた（『構造と言語』現代評論社、一九七八・一）。

　磯田光一は、東京論において〈中心／周縁〉という二分法の代わりに、〈下町／山の手〉という二分法を導入してより現実に即した分析を行い、近代日本においては山の手に地方から上京した日本の指導者層が住みついたために東京が地方化し、一方で山の手は近代の象徴でもあったので、地方が山の手を志向することによって地方が東京化する力学が働いている構造を明らかにした（『思想としての東京』国文社、一九七八・一〇）。

また、前田愛は、森鷗外『舞姫』論として書かれた「BERLIN 1888」で、遠近法のパースペクティブが太田豊太郎の内面に構成されていったことの意味を問うた。「視線にそって空間を圧縮する遠近法の原理は、逆にその視線のみなもとである人間を認識の主体として浮びあがらせる。すべての平行線が一点にあつまる遠近法の統一ある秩序は、神にかわって人間を世界の中心に位置づける近代的な知の構造と結びついている」（『都市空間のなかの文学』筑摩書房、一九八二・一二）。

前田愛は『舞姫』を、遠近法によってとらえられ内面化されたウンテル・デン・リンデンから、クロステル街の迷宮（前田はいつも「迷宮」を無意識の喩として語っている）へと下りて行った太田豊太郎が、再び外的空間に帰還する神話的構成をもった物語として解読した。そして、それがそのまま太田豊太郎の自我の構造だと言うとき、前田は豊太郎だけでなく、近代が失った実存の重みについて語っている。つまり、前田愛の『舞姫』論もまた近代批判パラダイムの中にあったのである。

テクストの構造分析のための理論書として、ユーリー・ミハイロヴィッチ・ロトマン『文学理論と構造主義』（磯谷孝訳、勁草書房、一九七八・二）や『文学と文化記号論』（磯谷孝編訳、岩波書店、一九七九・一）が刊行されていたことも大きな助けになった。しかし、こうしたテクストの構造分析はかなりの成果を上げたものの、テクストを閉じられた空間として分析するスタティックな印象があったことは否めない。

そこで、山口昌男は二元論的に切り分けられた二つの世界を自由に行き来でき、二元論的世界を攪乱するトリックスターという存在（＝概念）を導入して、ダイナミックな分析を試みた。トリックスターは小説の分析でもさかんに用いられたが、テクストの構造分析の域を出るものではなかった。

ロラン・バルトの問題提起とは裏腹に、近代文学研究において読者はまだ姿を現してはいなかったのだ。ロラン・バルトの問題提起を受け止め、読者が近代文学研究の一ジャンルを占めるためには、知の転倒が共有されなければならなかった。

ニュー・アカデミズムと文学研究

世界を二項対立で分類する構造主義的な考え方に対する異議申し立てを行ったのが、ニュー・アカデミズムと呼ばれる知の世界の運動体である。彼らは二項対立的方法を批判的に乗り越えていこうと試みた。ここでは、身体論と都市論に触れておこう。

二〇世紀の三大発見は、フロイトの無意識、マルクスの資本論、アインシュタインの相対性理論と言われるが、身体論はフロイト、都市論はマルクスの遠い親戚だろう。フロイトの場合は、それまで人間の主人公は意識だと考えられていたのを、無意識が人間の主人公だとして、意識と無意識の関係を反転させた。マルクスは、やはり意識が人間の主人公だと考えられていたのを、物質や経済的条件が人間の主人公だとして、意識と物質の関係を反転させた。この延長上に身体論と都市論がある。

この頃好んで用いられた説明モデルは有名な反転図形「ルビンの壺」だった。「ルビンの壺」は黒い部分に注目すれば向き合った顔になり、白い部分に注目すれば壺になる（左図）。このように、権力に近いもの（あるいは社会的に価値が高いと考えられているもの）と権力から遠いもの（あるいは社会的に価値が低いと考えられているもの）との関係を反転させることによって、社会秩序の転倒をめざしたのがニュー・アカデミズムと呼ばれた知の運動体の仕事だった。

デカルト以降、精神が人間の主人で肉体はその器官にすぎないと考える心身二元論が思考のパラダイムとして根強くあったが、身体論は精神と肉体が交じり合う場として「身体」という概念を設定した。たとえば、視覚は肉体の働きの一つの中でも最もニュートラルな感覚だと私たちは思っている。ところが、身体論はその視覚でさえも精神によって左右されてしまうことを明らかにしたのである。

都市論は前田愛の独壇場だった。前田愛は、文学研究における人間と都市の関係を反転させようと試みた。文学研究はそれまで人間ばかり論じてきたが、その背景にある都市を論じることでこそ人間を論じられるのではないかと問題提起した。前景と背景の反転である。前田愛

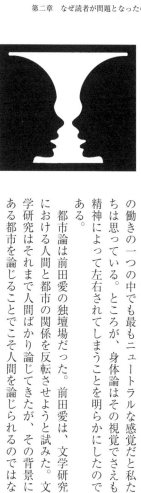

は、都市に人間の無意識が映し出されているのではないかという仮説を持っていた。たとえば新宿という都市なら、西口の都庁のある高層ビル街の副都心と、東口の風俗店が建ち並ぶ歌舞伎町とが一体となって「新宿」という都市の全体を形成している。西口が「精神」なら東口は「肉体」だと言うのだ。これら二つの要因が渾然一体となった姿が人間というものだと、前田愛はおそらく考えていた。

ニュー・アカデミズムの問題提起を背景として、文学研究ではナラトロジー（物語論）が導入された。ナラトロジーでは、物語の型を構造的に分析（あるいは分類）する方法もさかんに行われたが、もう一つの方法として言説分析があった。そのキー・ワードは「物語言説」と「物語内容」、そして「語り方」「語り手」という語る主体である。

物語言説と物語内容の導入とは、〈語り方〉と〈語られる内容〉とを切り分けて考えようということである。それまでの近代文学研究が〈語られた内容〉ばかり論じてきたのを反転させ、〈語り方〉を分析しようということだ。わかりやすい例としては、レトリック論の専門家佐藤信夫が挙げているものがある。ワインのボトルにワインが半分入っている状態があるとしよう。これが「事実」（＝物語内容）だ。この「事実」をどう語るのか（＝物語言説）を研究の対象にするのがナラトロジーなのである。

「ワインがまだ半分残っている」と語るか、「ワインはもう半分なくなった」と語るかでまったく印象は違ってくる。それは、語った人のワインへの関心の度合いやのどの渇き具合や好みなどによって違ってくるだろう。物語内容が一つでも物語言説は複数あり得るのである。このように、語った内容ではなく、それをどう語ったのかを分析するのがナラトロジーである。

——正確を期すために確認しておきたい。ナラトロジーにおいては、「ワインのボトルにワインが半分入っている状態」がはじめにあって、それを二通りに語ることができるとは考えない。二通りの物語言説が語られたその時に、二通りの物語内容が同時に生成される。物語言説と物語内容は同時に生成するのだ。つまり、「ワインがまだ半分残っている」と語られたとき、「ワインがまだ半分残っている」ように物語内容が生成するのだ。「ワインのボトルにワインが半分入っている状態」はこれとはまたちがった物語内容を持った物語言説だと言える。

語り方を研究するためには、語る主体を設定しなければならない。ところが、テクスト論以降は作者をテクストから切り離しているので、読者が〈いま・ここ〉で読んでいるときに、まさに読者に向けて語っているような抽象的な主体として「語り手」を設定する必要に迫られた。ここで言う「語り手」は「作者」では絶対にない。語り手はテクストの中に位置だけあって、面積をもたない。数学で言う「点」のような存在だ。

たとえば、田山花袋の『蒲団』（新潮文庫）に「玄関から丈《たけ》の高い庇髪《ひさしがみ》の美しい姿がすっと入って来たが」（傍点石原）という記述がある。入って来たのは横山芳子、それを部屋で待っていたのは竹中時雄。「語り手」が竹中時雄の位置に寄り添ってこの場面を語っているのである。絶対に田山花袋ではない。「語り手」と「作者」は絶対に混同することはできないのである。一人称小説でさえそうだと言える。

そこで、「語り手」という抽象的な主体の声を聞く、もう一人の抽象的な主体として「読者」という概念を導入する機運が生まれたのである。ここで日本の近代文学研究はようやくロラン・バルトの問題提起を受け止める準備ができたと言っていい。「作者」に「読者」を対置させることができたのだ。「作者」が「読者」という外部を持ったのである。それどころか、作者の真理に読者が従うような布置を転倒させたのである。いまや真理は読者の手の中にある。この時期の読者論はヤウス、イーザー、フィッシュという固有名詞に代表されるが、詳しくは次章以降に譲ろう。

ニュー・アカデミズムの最後の時期に彗星のように現れたのが、中沢新一だった。彼の出世作『チベットのモーツァルト』（せりか書房、一九八三・一一）は、この運動体の特徴を次の段階へと導いた。これは仏教の曼荼羅を高く評価した本で、曼荼羅は一枚の絵の中にたくさんの仏像が描いてある。この構図を評価することによって、キリスト教のような一神教的な世界観を批判し、多元的な世界観を提案した。やや極端に言えば、〈善／悪〉という二項対立で世界を分類するキリスト教的な世界観を、複数性や多元性といったキー・ワードを持ち込むことで相対化したのが、中沢新一の仕事だったと言えるだろう。それは「真理は一つ」というパラダイムの相対化でもあって、読者の数だけ「真理」があると考える読者論の立場と遠く響き合っていた。

この異議申し立てが、ポスト・モダンとかポスト構造主義とか呼ばれる新しい知のパラダイムを用意した。

ポスト構造主義と言語論的転回

構造主義は言語学にヒントを得て成立した学問分野である。そこで、構造主義では「世界は言語のように構造化されている」と考える。したがって、言語の分析はその世界の構造を明らかにすることだと信じられた。ところが、ポスト構造主義の時代になると「世界は言語である」と考えられるようになった。それが、「言語論的転回」である。これは「コペルニクス的転回」をもじった言い方である。私はこれまでに何度も言語論的転回の説明をしてきたが、必要上ここでも繰り返しておく。すでに知っている読者は、この節の終わりまでは読み飛ばしてかまわない。

私たちはふつう世界がすでに存在していて、それを言葉によって（言葉を道具として）人に伝えていると考えている。しかし、これは「言語道具説」といういまや古くなった考え方なのである。言語論的転回以降の言語観では、私たちは言葉を通してしか世界を理解することができないと考える。

ただし、この説明は厳密ではない。厳密に言えば、言語論的転回以降の言語観においては、言葉の先にモノとしての世界は想定されていない。私たちはモノそのものに触れることさえできないと考えるのだ。「世界は言語である」と考えるのだから、言葉がすべてだ。妙な言い方をするなら、私たちが生きている世界はすべて言葉で「汚染」されているのである。その言葉の外には世界はない。私たちはまるで言葉の世界に閉じこめられているようなものだ。

私たちは、自分たち人類が言葉を発明したと思っている。だから、人間が言葉の主人だと考える。しかし、ポスト・モダンの立場に立てば、私たちはすでに言葉の成立している世界に産み落とされるという事実を重視する。だから、「世界は言語である」というテーゼが成り立つ。ポスト・モダンは起源を問わない。いまそうある世界を、そうあるようにしている仕組みを理解しようとする。

具体例を挙げて説明しよう。

日本の医療現場では「抑制」という医学用語がよく使われていた。簡単に言えばベッドに縛りつけることだ。ところが、これは非人間的だと考えた医師がいて、その医師はそれまで「抑制」と書かれていた看護日誌に「縛った」と書かせた。そうすると、看護師に心理的な抵抗が出てきたのである。「抑制」と書くと医療行為の一つだと思えるが、「縛った」と書くと人間の自由を奪ったとしか思えなくなるのである。そこで、その病院ではベッドに患者を縛りつける行為が激減したという。

「抑制」と書こうと「縛った」と書こうと、行っていることは同じである。しかし言葉を変えることによって、自分が行っていることの意味が変わってしまったのだ。医療行為が自由を束縛する行為に変わってしまったのである。たった一語の変更で、そのことが自覚できたのである。

いや、言語論的転回以降の言語観にそってもっと厳密に言えば、「行っていることは同じ」ではない。「抑制」という行為と「縛った」という別々の行為があると考えるべきなのだ。こういう例を知ると、私たちは言葉を通してしか世界を理解できないと考えたのではまだ不十分で、「言葉が世界だ」と考えざるを得なくなってくる。「世界は言語だ」とすると、言葉を使う人間がいなくなることは、「世界」がなくなることと同じだということになる。これが言語論的転回以降の言語観である。

言語論的転回を経ることによって、人文科学では構築主義という立場がとられるようになった。構築主義は本質主義の対立概念である。構築主義では、言語が私たちを私たちのように作り上げたと考える。たとえば、「男らしさ」や「女らしさ」について考えればわかりやすい。本質主義の立場をとれば、男は自然に男らしくなる、女は自然に女らしくなるはずだ。たとえ無人島にいても、である。

これに対して構築主義は、男らしさや女らしさは言語という文化が教育してそうさせると考えるのである。つまり、男らしさや女らしさは社会が作り上げるものだというのだ。構築主義は、こういう具合に文化がさまざまなものを作り上げたにもかかわらず、そのプロセスが忘れられてしまったために、男が男らしくあり女が女らしくあるのは「自然」なことだと思いこんでしまうのだという。だから、そのプロセスをきちんと自覚しなければならないというのが、構築主義の立場だ。

フェミニズムも構築主義がなければ成り立ち得ない。フランスの思想家・作家ボーヴォワールの代表的な書物『第二の性』（決定版、『第二の性』を原文で読み直す会訳、新潮文庫、二〇〇一・四）だ。もちろん第一の性が男性で第二の性が女性。女性は第二の性に押し留められているという批判的なタイトルである。その『第二の性』で一番有名なフレーズは「人は女に生まれるのではない、女になるのだ」だろう。「女に生まれる」と考えるのが本質主義の立場で、「女になる」と考えるのが構築主義の立場だ。したがって、女性は「女らしく」なければならないという価値観は、文化がそれを変えることを望むなら変わるというわけだ。だから言語論的転回がなければ、フェミニズムはおそらくここまで発展しなかっただろう。

主体の複数性

ポスト構造主義のもう一つの特徴は主体は一つではなく複数だという「主体の複数性」を主張したことである。ミシェル・フーコーの、人間が世界の主人であるという時代はもう終わったという考え方を経て、統一的な自我（＝アイデンティティー）は実は本人さえも抑圧してしまうのだということがわかってきたからである。もっと言えば、主体化とは日常生活に網の目のように張り巡らされた権力の内面化にほかならない。わかりやすく言ってしまえば、権力を学習して身につけることが主体化と呼ばれているもののの実態だということだ。主体化を成長と言い換えても同じことである。

たとえば、「石原千秋」がいつでもどこでも「石原千秋」であらなければならないとしたら、それは大変苦しいことだろう。あの時の「石原千秋」といまの「石原千秋」は違っているし、あそこにいた「石原千秋」とここにいる「石原千秋」も違っている。それをたった一人の「石原千秋」に統一するような近代的自我のあり方は、主体化という名の抑圧装置でしかない。単一の主体を求めるということはこういうことを意味する。そしてそのような主体が社会化されることは、社会の権力構造を受け入れることなのである。したがって、そういう近代を超えたポスト構造主義の時代には、一人の人間が複数の主体を生きることができると考える。

先に、自我はラッキョウの皮むきのように不純な自分を引き剝がしていくと、最終的には何も残らないと書いた。主体とはその残余にすぎないと書いた。ところが、ラッキョウの皮むきで捨ててしまった部分、たとえば学生としての私とか兄弟としての私とか、そういうものもすべて「自分」として引き受けるのが、ポスト構造主義的な主体のあり方なのである。つまり、「自分」が複数化する。

これは白樺派的な自我とはまったく違う。むしろ、漱石が悩んだ自我の空虚を肯定的に作り変えるとポスト構造主義になると言っていい。漱石が執拗なまでに追求した自我の純粋性を反転させて、それを丸ごと「複数の自分」として引きうければいいのだ。もっと大きく言えば、構造主義的な二項対立の思考は善悪を決める基準が一つしかない。だから、もうそのような単一の価値基準によって世界を切り分けるのはやめ、複数の価値基準を持とうというのがポスト構造主義だ。ポスト構造主義は、「きれいに統一されたツリーから複雑に絡み合うリゾームへ」という標語にまとめることができそうだ。

「自分」の問題に戻るなら、「自分」は他者との関係において「自分」であるということであり、他者との関係ごとの「自分」をすべて「自分」として引き受けようとすることである。ところがジャン＝リュック・ナンシーは、「自分」とか「他者」といった境界線をとろけさせて、存在の基礎自体が複数性なのだとする（『複数にして単数の存在』加藤恵介訳、松籟社、二〇〇五・四）。こうなると、もう「リゾーム」どころではない。私の考える読者とはまさにこういう存在である。

カルチュラル・スタディーズと国民国家論

ポスト構造主義を前提として、それに言語論的転回以降の構築主義をプラスしたのがカルチュラル・スタディーズ（CSなどと呼ばれた）である。一九九〇年代から姿を見せはじめ、現在の様々な研究もこの延長線上にある。カルチュラル・スタディーズと構造主義との決定的な違いは、歴史に対する姿勢である。構造主義は歴史を否定したが、それに対してカルチュラル・スタディーズは歴史を復活させたのである。しかし、これはかつての歴史学とはまったく違っている。カルチュラル・スタディーズが復活させたのは、言語論的転回以降の歴史なので、分析するのは基本的には言説だけだ。ただし、現実の実践においてはこれが厳密に行われているわけではない。しかし、人文科学や社会科学においては、厳密さが常に学問的に生産性が高いわけではないから、あまり目くじらを立てる必要はない。

　カルチュラル・スタディーズの分析は、ニュー・アカデミズムの項で説明した「物語言説」の分析に相当すると言ってもいい。従来の歴史学は「事実」や「事柄」を確定して、その意味を論じる。これがまっとうな歴史学だろう。しかしカルチュラル・スタディーズは、時代におけるある「事実」や「事柄」の語られ方の偏りを明らかにすることを目的とする。つまり、ある「事実」や「事柄」がさまざまなイデオロギーに染められて語られていたということを明るみに出すのが、カルチュラル・スタディーズの仕事だと言える。

　そこで、カルチュラル・スタディーズはメディア研究を盛んに行う。雑誌や新聞を盛んに研究するのである。たとえば、ある新聞と別のある新聞の言説を比較分析することによって、言説のイデオロギー性が明らかになる。このイデオロギー性がメディア戦略と呼ばれるものだ。カルチュラル・スタディーズはこのメディア戦略を明らかにする。その一環としてカルチュラル・スタディーズは読者研究も行うが、それにはどこか「メディアに左右される愚かな大衆」という趣がつきまとっているように思われる。大衆がメディアによって操作されるという前提がない限り、「メディア戦略」という概念が成立しないからである。

　グローバルな高度情報社会に生きる私たちがメディアの言葉によってしか「事実」や「事柄」を知ることができないとすれば、問題は「事実」や「事柄」ではなくてそれを報道する「言説」だと言える。これが、カルチュラル・スタディーズが言語論的転回以降の研究だという意味であり、その重要性である。カルチュラル・スタディーズにおける歴史の復権とは、こういう形で行われた。もちろん、これは「事実」や「事柄」の確定をおろそかにしていいという意味ではない。しかし、「事実」や「事柄」の確定も言説によって行われる以上、いかなる「事実」や「事柄」もイデオロギー性の汚染を免れることはできないのである。

カルチュラル・スタディーズは、もともとイギリスのニュー・レフトと呼ばれる人たちがはじめた研究だった。したがって、はじめから左翼的なイデオロギーを基本的なスタンスとしていた。イギリスはいまでもかなりはっきりした階級社会で、中産階級以上の人たちと労働者階級の人たちが交わることさえほとんどない。そもそも話す「英語」が違いすぎて、まともなコミュニケーションが取れないというのだ。そこで、中産階級以上の人たちの文化だけが「文化」として認識されていた。そこへニュー・レフトの人たちが労働者階級の人たちの文化も「文化」ではないかと言いはじめた。そして、労働者階級の「文化」を研究しはじめた。これが、カルチュラル・スタディーズのはじまりである。

こういう出自があるので、カルチュラル・スタディーズはもともと社会的な弱者の味方であり研究であるという側面を持っていた。では、何が人々を社会的な弱者の位置に固定しているのか。それは国民国家という近代国家を成立させる装置だということになった。国民国家は国家内が「均質」であることを強いる。ところが、その力学が「標準」からはずれた人々への「差別」として働くことがある。それに、現実には「国民」といっても一様ではない。そこで、その根本のところにある国民国家を論じるのが、カルチュラル・スタディーズの大きな仕事になったのである。

ニュー・アカデミズムの時代には「差異」という言葉が好んで使われたが、カルチュラル・スタディーズでは社会的な価値観を含んだ「差別」という言葉が好んで使われる。この「差別」は、国民国家内部の「排除」の力学によるものだった。では、国民国家が外部に向けて自らのアイデンティティーを保とうとしたらどうなるだろうか。それがナショナリズムという「排除」の論理を生み出すのである。カルチュラル・スタディーズがナショナリズム研究を中心的な課題としたのは当然のことだったのである。そしてその地点で、カルチュラル・スタディーズはポスト・コロニアリズムと接続することになった。

ポスト・コロニアリズムと政治的正しさ

ポスト・コロニアリズムとは「植民地主義以後」という意味だが、カルチュラル・スタディーズがポスト・コロニアリズムに接続したのは、ソ連の崩壊が大きな要因だった。もちろん、第二次世界大戦以降に独立を果たした植民地の文化の研究がまずあった。たとえば、インドならばインド独自の文化と植民地時代に宗主国だったイギリスの文化が混じり合った独特の「文化」が植民地以降に生まれる。同じことがカリブ海地域で起こったのを「クレオール」と呼んで、むしろ積極的に評価しようという動きもあった。

ソ連の崩壊はナショナリズムに大きな刺激を与えた。言うまでもなく、ソ連が抑圧していた多くの民族が国家として「独立」したからである。その結果、共産圏が広大な領土を失なった。それまではアメリカとソ連という二極があって、それが世界の秩序を規定していた。「冷戦」である。その一方の極がなくなってしまったために、国境が相対化されたのである。つまり、国境を規定する原理が、共産主義や自由主義といったイデオロギーから民族という単位へと移ったのだ。ポスト・コロニアリズムはこの地点から、帝国主義・植民地主義を批判する。しかし、それが新たな紛争を巻き起こしたことは広く知られている。

民族が単位となる以上、どうしても宗教が前面に出て来ざるを得ない。かつてフーコーは、国家の成立原理が宗教からイデオロギーに代わったのが近代だという意味のことを述べたが、ソ連の崩壊以後の世界にあっては、このフーコーの言葉はもはや歴史の一コマとなった感がある。つまり、過去のものとなった。最近、宗教に関する本が数多く刊行されるのにはこういう背景がある。小坂井敏晶『民族という虚構』(東京大学出版会、二〇〇二・一〇)は、こうした民族主義に反省を迫る書物である。

ポスト・コロニアリズムから見れば、夏目漱石の『満韓ところ〴〵』というエッセイなどまともに読めたものではない。なるほどこれはいま読むとちょっと胸が悪くなるような差別的な言葉がたくさん書き込まれている。漱石も民族差別をしていたではないか、植民地主義、帝国主義に乗って差別していたではないか。日本の国民作家漱石だってそういう感性があったではないか。漱石は立派な国民作家とは言えないのではないか。それどころか、そういう差別主義者を「国民作家」としている日本こそが、いまでも植民地主義にとらわれているのではないか。

極端に言えば、こんな風に告発的に論じるのが、ポスト・コロニアリズムの仕事である。ポスト・コロニアリズムから見れば戦前の日本文学などどうてい読めたものではない。漱石文学などを国民作家という正典（カノン）としているから国民国家が強化されるのだと言わんばかりの勢いだ。私は漱石研究が専門だが、それでも漱石がそれほど影響力があるとは思わない。しかし、そこまで突っ走ってしまうのがポスト・コロニアリズムの現状だ。もっとも、これにもある程度の妥当性はあると感じないわけにはいかない面もある。

こういう研究動向にともなって、ポリティカル・コレクトネス（「政治的正しさ」のことで、ＰＣと略すこともある）という「正義」を振りかざす人が、近代文学研究の学会で増えてきた。それにともなって正典の読者研究も行われたが、これは読者を実体化して批判するものだったと言える。なかには、これまでの男性中心の文学を否定するために文学をつまらなく読むのが私の研究だと公言したフェミニズム系の女性研究者もいたと聞く。もっとも、カルチュラル・スタディーズからポスト・コロニアリズムへの流れは、文学部が「文化」をキー・ワードにしたいわゆる四文字学部へ改組されていく流れへの対応という、文学研究者の現実的で切実な意味合いもあった。

しかし、文学研究は「正しさ」という基準で行われるべきものだろうか。読者を実体化すればそうならざるを得ないことは理解できる。そして、それがなされなければならない時期があることも理解できる。それがなされなければならない局面があることも理解できる。しかし、いま読者研究は別の道をも選ぶべき時期に来ているのではないだろうか。そのために、私たちが読者となった道筋を追っておこう。

第三章

近代読者の誕生

近代読者の条件

私たちは現在ごくふつうに読書をする。それどころか、読書を奨励されることも多い。小説を読むことにも特に抵抗はない。しかし、私たち大衆が読者になったのはそんなに昔のことではない。かつては、限られた人々しか読者にはなれなかったのだから。社会の特権階級でもない私たちが読者になるためには、多くの条件が整わなければならなかった。それらをざっと数えあげてみよう。

第一は、印刷技術による書物の大量生産が可能になること。第二は、多くの人々が読み書きの能力を持つこと。第三は、学校教育によって知的な能力が平準化されること。第四は、特に国語教育と、隠れたカリキュラムと呼ばれる児童や生徒や学生の自主的な学習によって、感性が平準化されること。第五は、黙読ができる能力と空間（個室）を持つこと。第六は、これらの条件を備えた階層が大衆として成立すること。第七は、マスメディアの影響も受けて、特にその階層内では共同体意識が持てること。第八は、それでいて自分が独立した個人であるという意識を持てることである。少なくともこれら八つの条件があってはじめて私たちは近代的な読者となったのだ。

第一章でも述べたが、日本で近代小説の読者が誕生したのは明治の四十年前後である。夏目漱石が登場し、自然主義文学が隆盛を極めた時期である。それは、読者が読書を単なる消費から創造行為に変え、それに耐えうるテクストが出現したことを意味する。近代小説の読者が先か近代小説が先かは卵と鶏の議論に似てどちらとも決められないが、それからほぼ百年が経つ。私たち近代小説の読者はほぼ百年の厚みを持っているのである。

成田龍一は『少年世界』（博文館）という雑誌の詳細な分析から、『少年世界』が自分たちではない何かとの差異を強調して、それを「彼ら」としてさかんに導入することで、それまでまとまりのなかった読者に「われわれ」意識を持つ「読者共同体」が形成されたと論じている。「われわれ」意識を高めるために「彼ら」を排除すべき対象として使うのは、常套手段である。その結果、一九〇〇（明治三十三）年前後に読者の地殻変動が起きたと言うのである（『近代都市空間の文化経験』岩波書店、二〇〇三・四）。

成田龍一の目論見は、「想像の共同体」である国民国家が成立した過程を具体的なメディア戦略から明らかにするところにあった。なるほど、このようなメディアに育てられた少年は、後に立派な国民となるだろう。『少年世界』の読者層は、小学校高学年から、当時はエリート候補だった中学生だったので、彼らは教養ある近代読者だったと言える。そのようにして育った近代読者が近代小説の読者になるまでに、数年のタイムラグが生じたのだろう。（成田龍一の議論を踏まえるなら、近代読者の成立が近代小説の読者の誕生に数年先立つことになるが、そのことの意味を歴史的に明らかにするためにはまた別の本が書かれなければならない。）しかし、彼らが国民国家の中心を担うことはまちがいない。

先の八つの条件は中産階級を成立させる条件そのものだと言える。近代日本で中産階級が姿を見せはじめたのは明治の中期からだが、明治期にはその層はまだ薄かった。たとえば、明治三十年代の終わりに朝日新聞がそれまでの下町の商人階層から山の手の中産階級にターゲットを移し、そのための目玉商品として、当時最高の知識人の一人にして有望な新人作家でもあった夏目漱石を専属作家に起用したことはよく知られているが、この時期の朝日新聞の発行部数は二十万部から三十万部にすぎない。現在の数百万部とは、文字通り一桁違うのである。現在の全国紙というイメージからはほど遠い。しかし、新聞を読むだけの教養があるこの時期の中産階級が、現在の大衆の原型であることはまちがいがない。

大衆読者の成立

永嶺重敏は、次のような興味深い指摘を行っている。

明治四〇年前後は近代日本の読書過程における重要な一転機を成している。この転機を一言で言えば、読書というものが国家の一関心事へと浮上し、国家による国民の読書の管理が企図され始めたことである。（中略）国民の読書という問題が国家にとってもはや無視できぬ存在にまで成長してきたためであった。（中略）政治による読書への関与は大きく次の二点、①学生生徒の読書内容、特に課外読書の監視、②国民の読書力の総体的な底上げの必要性、に要約される。（『雑誌と読者の近代』日本エディタースクール出版部、一九九七・七）

近代読者の誕生は、やはり明治四十年前後と考えてよさそうだ。先の成田龍一の分析は、『少年世界』という当時としては「高級」な雑誌の分析によったために、「地殻変動」が数年先んじて現れたことを示しているのだろう。また永嶺重敏は、明治四十年前後になると国民の読書が「成長」したために、「課外読書の統制と読書力の養成政策」という「一見相反する」政策を同時に行わなければならなくなったと言うのだ。この永嶺重敏の指摘を身も蓋もない言い方にすれば、国家が国民に読ませたい本だけ十分に読む能力を身につけさせたいと考えはじめた、ということになるだろう。「発禁」処分の乱発が、こういう事情を雄弁に物語っている。

永嶺重敏は、当時の用語で「高等読者」と「普通読者」が、階級的に中産階級以上とそれ以下の階級に対応し、また男性と女性という性別にも対応していたと言う。さらにそれが大正中期までは、次の四グループに棲み分けられていた。

雑誌に関してみた場合、大正中期までには、年齢、性別、教育水準に対応した幾つかの雑誌文化圏が形成されてきていた。それらは大きく分けて四つの雑誌文化圏、すなわち、学生・知識人を中心とする総合雑誌文化圏、労働者や都市下層民を中心とする講談雑誌文化圏、女性を中心とする婦人雑誌文化圏、年少者を中心とする少年少女雑誌文化圏に要約される。（同前）

これら四つのグループを横断する雑誌は、大正十四年の『キング』（講談社）創刊までなかったと言う。しかしその一方で、改造社の『現代日本文学全集』に代表される昭和初期のいわゆる空前の「円本ブーム」は、小説が「高等読者」と「普通読者」の二つに階層化された読者を横断するテクストだということを証明している。これらが大衆読者を誕生させたのだが、ことに明治・大正期の「近代文学」が新しい「古典」として広く国民に共有されたことは（小森陽一「起源の言説――「日本近代文学研究」という装置」『内破する知』栗原彬ほか著、東京大学出版会、二〇〇〇・四）、大衆読者の内面の共同体成立の質を決定づけたはずである。

フランスの社会学者ロジェ・シャルチェは、「青本叢書」と呼ばれる廉価版のシリーズが近世フランスを流通した形態を詳細に検証し、それが「文化的形態の支持体」（それは格差を生み出す装置でもあった）となっていたことを明らかにした（『読書と読者』長谷川輝夫・宮下志朗訳、みすず書房、一九九四・二）。フランスの社会学者ピエール・ブルデューが言うように、読書が読者にとっての文化資本となり、ハビトゥス（ある階級を支える教養のようなもの）を形成するわけだ。それが内面の共同体の基礎となる。

近代から現代へ

大衆とは「みんなと同じがいい」という心性を持った人間のことである。さらに言えば、大衆とは「みんなよりほんのちょっとだけ上がいい」という心性を持った人間だろう。「みんなと同じがいい」という心性は大衆全体のレベルを引き上げ、「みんなよりほんのちょっとだけ上がいい」という心性は大衆の一部のレベルをさらに引き上げる。大衆にこのような心性がなければ、資本主義は発展しなかっただろう。読書で教養を身につけることも、「ほんのちょっとだけ上」の一つに数えられるかもしれない。こうした意味での教養主義が出版文化の発展に果たした役割は少なくなかった。もちろん、教養だけが読書の目的ではないが、娯楽だけが読書の目的でもない。

こういう大衆が国民の大多数を占めるようになったのは戦後になってからだ。一九六〇年代から一九七〇年代にかけて日本を劇的に近代化し、現代への道筋を切り開いた高度経済成長期である。画一的な工業製品を持つことが幸福の形だったこの時代、「みんなと同じがいい」という国民性は最高潮にあっただろう。そして、他の職種と比べた小説家の収入が最も多く、社会的なステイタスが最も高かったのがこの時代だった。

繰り返すが、この時代にあっては小説を読むことは大衆の教養の一つだった。しかし、大衆の教養はそれまでのエリートの教養とは質が違っている。この時、近代読者に二度目の地殻変動が起きたと思われる。端的に言えば、読書がエリートの営みから大衆の営みへと広がりを持つようになり、読書が教養から消費に変わったのである。大衆の教養とは、いかにうまく上品に消費を行うかにあった。竹内洋は、高度経済成長期以前のような教養主義の終焉について、次のように述べている。

教養主義の終焉は、これまで見たような支持的社会構造や支援文化の崩壊という消極的要因だけによるのではない。決定的な、つまり教養主義崩壊の積極的要因は、一九七〇年代後半以後の「新中間大衆社会」の構造と文化にある。（前出『教養主義の没落』）

竹内洋は、この「新中間大衆社会」が「階級社会」そのものを「消滅」させたうえに、彼らの「新中間大衆文化」が一段上の「教養」などに無関心で、「隣人と同じ振る舞いを目指」すような心性を持っていたことが、「教養主義の終焉」を招いたのだとしている。そして、竹内洋によれば、それは一九七〇年代後半以後だった。一九七〇年から一九七五年までのわずか五年間で、大学進学率が二十パーセント弱から三十パーセント弱まで十パーセント近くも急上昇したことが直接の原因だった。大学生が大衆化したのがこの時期だったのである。

そのようにして、私たちは旧時代の教養主義の崩壊という代償を払って、大衆消費社会の読者となったのである。もちろん、それは善し悪しの問題ではない。歴史の推移の必然だったと言いたいだけだ。そして、いま私たち読者はかつての教養主義時代の読者とは違って、分厚い層をなした消費者として、書き手に自分たちを意識させるだけの権力と政治力を持ったのだ。教養を持った人間だけが権力に近づくことができる社会と、大衆が権力を持った社会とどちらがいいか、これも善し悪しの問題ではないだろう。歴史の必然だったのである。

活字文化が市民社会の形成に大きく寄与したことは、宮下志朗『本を読むデモクラシー』（刀水書房、二〇〇八・三）に詳しい。「一言語、一民族」というフィクションによって成り立つ国民国家という「想像の共同体」形成に活字メディアが寄与したことは、いまやナショナリズム論とカルチュラル・スタディーズの古典となったベネディクト・アンダーソン『定本　想像の共同体』（白石隆・白石さや訳、書籍工房早山、二〇〇七・七）によって定説となっている。

アンダーソンの言う「想像の政治共同体＝国民」は、「〔イメージとして心の中に〕想像されたもの」（実際にはほとんどの同胞を見ることはできない）であり、「限られたものとして想像」（国境が国家を区切っている）されたものであり、「主権的なものとして想像」（近代の国民国家は自由を前提としている）されたものであり、「一つの共同体として想像」（平等が前提とされている。以上すべて傍点省略）されたものである。先の成田龍一のすぐれた試みはカルチュラル・スタディーズの典型で、この本で言う「一つの共同体として想像」されるようにしむけたメディア戦略を暴いた、近代日本への応用である。（ついでに言えば、このようにメディア戦略が大衆をある方向へと「しむけた」とするのが、カルチュラル・スタディーズの典型的な語り口である。そこにはいわば「愚民観」のようなものがありはしないかと、第二章で書いた。）

近代読者の「外部」

ここで、政治体制と近代読者との関係について考えておこう。政治体制と近代読者との歴史的な関係について、ヒリス・ミラーは次のようにまとめている。

> 西洋において私たちが知っているような文学に、必然的に付随する文化的特徴は何であろうか。西洋の文学は、一般的には印刷書物の時代と、新聞、雑誌、定期刊行物のようなその他の印刷物の時代に属しており、西洋全域における読み書きの能力《リテラシー》の漸進的な向上と関係が深い。読み書きの能力の普及がなければ文学は存在しない。さらに、読み書きの能力は、十七世紀以降の西洋型民主主義の緩《ゆる》やかな出現と切り離しては考えられない。これは参政権の拡大、議会政治、司法制度の整備、そして基本的人権あるいは市民的自由の権利を備えた統治形態を意味する。そのような民主主義が、程度の差はあれ、万人教育を徐々に発展させたのである。またそれ

によって、市民は印刷物や新しい印刷物を印刷する技術を自由に利用することができるようになった。（前出『文学の読み方』）

もちろん、ヒリス・ミラーは「印刷機がフランス革命やアメリカ革命のような民主主義的な革命を可能にした」ことを確認しているし、現代ではインターネットが同様の役割を担っていることも確認している。そのうえで、「西洋型民主主義」がもたらした「読み書きの能力」と文学とは切っても切れない深い縁があると言っているのだ。

では、近代文学とはどのような文学なのか。ヒリス・ミラーの答えはごくシンプルである。そしてシンプルであるがゆえに、厳しい現実を浮かび上がらせる。

近代民主主義の台頭は、各国市民に民族的・言語的統一感を抱かせる近代国民国家《ネイション・ステート》の発生を意味した。近代文学とは自国語による文学のことである。それは共通語《リンガ・フランカ》としてのラテン語の使用が徐々に姿を消すにつれて現れ始めた。国民国家と手に手を携えて進んできたのが、国民文学、すなわち特定の国の言語と慣用語で書かれた文学という概念である。（同前）

このことの意味は、「西洋型民主主義」の「外部」に出てみなければわからない。現代アラブ文学研究者の岡真理は、こう言っている。アラブ世界では作家もいて小説も書かれているのに、小説がほとんど読まれていないのを不思議に思った岡真理の恩師がアラブ世界に行って「どうして小説を読まないのか」と問いかけたところ、「人間のことであれ、世界のことであれ、真実はすべてクルアーン（イスラムの聖典コーラン）に書かれているので、被造物の人間が書いたもので真実を知る必要はない」という答えが返ってきたと言う（小野正嗣との対談「誰のために小説は書かれるのか？」『すばる』二〇〇九・七）。

岡真理は「どうして小説を読まないのか」という問い自体が、「西洋型民主主義」の国に住む人間のエスノセントリズム（自民族中心主義）から発せられたものだったと言う。なぜなら、私たちにとっては「書いたテクストが小説本となって流通して読者の手に届くことを可能にする条件」が、改めて問う必要がないくらい「透明な存在」になっているからだ。しかし、アラブ世界ではそのような「条件」はなかった。あるいは、そのような「条件」は決して「透明な存在」ではなかった。アラブ世界では、「近代文学とは自国語による文学のことである」というシンプルな命題が十分に成立してはいないのだ。

しかし、「西洋型民主主義」の国に住む私たち日本人は、私たち日本人がどのようにして近代読者になったのかを忘れているか、よく知らない。だから、「近代文学とは自国語による文学のことである」というシンプルな命題にさえ気づかずにいる。歴史を学ぶか、さもなければ「外部」に出てみることは、知的な思考には欠かせない要素である。

私たち近代読者は、長い間活字文化によって政治に関わってきたし、いまも関わっている。だから、政治に関心を持たないようにと、女性に活字を教えない文化があることをよく知っている。そのうえで、いまでも女性が隠れて西洋の小説を読まなければならない世界があることを知っておくことは、小説の社会的意味を考えるために決して無駄なことではない（アーザル・ナフィーシー『テヘランでロリータを読む』市川恵里訳、白水社、二〇〇六・九）。

内面の共同体

こうしたことの多くは、すでにカルチュラル・スタディーズによって研究されてきた。したがって、これらはこの本の前提である。この本で考えたいのは、この前提を再考しながら、こうして誕生した読者がどのように小説と関わり、いわば「内面の共同体」をどのように形成するのかということだ。

デイヴィッド・リースマンというアメリカの社会学者は、大衆は他人指向型の人間だと言っている（『孤独な群衆』加藤秀俊訳、みすず書房、一九六四・二）。それは、近代になってから絶対的な規範だった神が死を宣告され、緩やかな規範だった共同体が崩壊して、個人が孤立化し断片化したために、他人を真似ることによってしか生きる指針を持てなくなったからだと言うのだ。しかし、近代的な個人は他人の外側だけを真似るのだろうか。そうではないだろう。内面が理解できると確信するから他人を真似るのだろう。そして、こうした内面の共同性を人々に教える最もすぐれた教科書が小説だったのである。

小説の読者は「ここにも自分がいる」と感じたに違いない。そして、「あの人も自分と同じように読んでいるだろう」と感じているに違いない。その上で、「自分はちょっと違う読み方もしているし、違う読み方ができる」という感覚を自己のアイデンティティーのよりどころとするのが大衆だ。それが近代小説の読者である。

フーコー流に言えば、主体を確立することは権力を内面化することにほかならない。たとえば、日常生活に張り巡らされた権力の網の目を小説が掬い取って、近代読者はそれを自己の内面の鏡として主体化して、アイデンティティーを確立するわけだ。そのようにして、国民が生まれる。国民とは目には見えない国境を内面化した人間のことだからである。この見えない国境こそが、内面の共同体なのだ。

他のメディアにもこのような働きはある。だからこそ、カルチュラル・スタディーズは新聞や雑誌やテレビのメディア戦略を暴いてきた。しかし、黙読を前提とする近代小説はこの働きの最も効率のいい実践者だった。なぜなら、近代小説は人間の内面を書くことを主な仕事としてきたのに、黙読する読者は他人と自分とを比較できないからである。他人の内面がわからないからこそ、黙読しているいまの自分の内面が他人の内面と同じだという、いわば内面の共同体を形成してしまう逆説が生じたのである。

その内面の共同体はある一定の方向が与えられている。国語教育によってである。小説をある一定の読み方で読むことが、国語教育という制度によって強制されてきた。この場合のある一定の読み方とは、大人に成長することが人間の価値だとし、他人との共生を志向する道徳的な読み方のことである（拙著『国語教科書の思想』ちくま新書、二〇〇五・一〇、参照）。小説は国語教育に取り込まれることによって、国民的な教育装置となった。

国語教育を支えているのは言うまでもなく（国語科の）教員だが、その教員は大学で学んでいる。国語教育現場には、かつて教員が大学で学んだ一時代前の「近代的自我」をメルクマールとした読みがいまも脈々と引き継がれていて、それが内面の共同体の質を決定しているのである。そして、そういう国語教育を受けた読者が小説の読者になっていく。それが作家の読者意識として小説の質を規定する。その結果、再びそういう小説が教科書に採録される。もちろんこれほど極端ではないが、こういうループは緩やかに機能している。いま、このループをもっとも意識的に利用しているのが、入試国語出題率ナンバーワンの作家重松清である。もっとも、重松清自身はこのループからはずれることができない不自由さを感じているにちがいないと思うが。

西川祐子は、戦前の旧制高等学校においては、阿部次郎『三太郎の日記』が契機となって内面世界が成立していったと述べている（『日記をつづるということ　国民教育装置とその逸脱』吉川弘文館、二〇〇九・六）。旧制高等学校で、夏目漱石『こころ』が最も読まれていたことも（筒井清忠『日本型「教養」の運命』岩波書店、一九九五・五）、いわゆる「裏のカリキュラム」が内面の共同体形成と深くかかわっていたことを示唆している。

これが戦後は「表のカリキュラム」に組み込まれたのである。

内面の共同体の形成要因をもう一つ挙げるとすれば、図書館だろう。「有害図書」を購入するか閲覧に供するかは、図書館員の悩みの種である。それは、図書館が「良書」を提供する公共の場所だという暗黙の了解があるからだ。だとすれば図書館にある本を読むことは、すなわち内面の共同体に参加することを意味する。特に学校の図書室や図書館にはそうした側面が強く現れているだろう。

「内面の共同体」が国民国家を作る

柄谷行人は、次のように言っている。

> 小説は、「共感」の共同体、つまり想像の共同体としてのネーションの基盤になります。小説が、知識人と大衆、あるいは、さまざまな社会的階層を「共感」によって同一的たらしめ、ネーションを形成するのです。(『近代文学の終り』インスクリプト、二〇〇五・一一)

私が提出した「内面の共同体」という概念は、柄谷行人の言う「「共感」の共同体」と重なり合いながら、ちがった面をも持っている。なぜなら、内面の共同体は必ずしも「共感」を前提としないからである。自分とはちがった他者にも自分と同じような内面があると感じる志向性を、内面の共同体と呼んだのである。

近代読者は黙読の技術を獲得して、他人から切り離された状態で読書ができるようになったからこそ、内面の共同体を形成するという逆説を生きることになった。改めて確認すれば、これはいわば近代読者の特権だった。なぜなら、内面の共同体を形成するためには、それ以前に現実の「想像の共同体」（これは言葉の矛盾だが）、すなわち国民国家に触れていなければならなかっただろうからである。そのような共同体は、この章のはじめに挙げた八つの条件によって成立しただろう。ということは、国民国家の成立が内面の共同体の成立にとって不可欠の条件だったということだ。

もちろん、この成立の順序は逆でもいい。内面の共同体が先に成立していて、それが「想像の共同体」である国民国家が成立していると「誤解＝錯覚」させることがあるだろう。と言うよりも、国民国家はこの「誤解＝錯覚」を利用して「想像の共同体」を強固なものにしていったと考えたほうが自然だろう。日本の場合、まさに国家的イベントだった日清戦争と日露戦争時の戦争報道というメディア戦略が国民国家体制を強化したという説明の仕方は、カルチュラル・スタディーズでは常識に属する。

ただし繰り返すが、これが「誤解＝錯覚」という倒錯したプロセスを踏んだだろうことは改めて確認しておきたい。でなければ、そもそも「メディア戦略が国民国家体制を強化した」という説明自体の論理構造が成り立たないはずだからである。「想像の共同体」自体が幻だからである。しかも、この説明の論理構造には主語がない。政府がメディアを完全に規制していたという事実が証明できないのであれば、その主語は「大衆自身」でなければならないだろう。そして、この時期の国家のメディア戦略は、まだ不十分だった「想像の共同体」である国民国家を強化することにあったのだから、それに先だって内面の共同体がなければならなかったが、その内面の共同体は「想像の共同体」の成立を前提としているという「誤解＝錯覚」が必要だったはずだからだ。

まとめておこう。読書によって生まれる同じという意識が内面の共同体だが、それは国境という境界線を内面化した「想像の共同体」を前提としている。そして、この両者の関係は逆でもいい。つまり、相互的だということだ。したがって、「想像の共同体」が先に成立していると考えるのは「誤解＝錯覚」になり得るのである。このことは外国文学を読んで共感できることを考えればすぐにわかる。

これはあくまで内面の領域の話なので、必ずしも国境の内側に限られる必要はない。でなければ、外国文学の理解は不可能になるだろう。また、過去の文学の理解も不可能になるだろう。ところが、現実には私たちは外国文学を読んでも古典を読んでも「ここにも自分がいる」と感じることができる。内面の共同体は軽々と国境や時代を超えることができる。『三四郎』の広田先生ではないが、「日本より頭の中の方が広い」のだ。

こうして形成された内面の共同体を生きる読者は、顔が見えないという意味では抽象的な読者であり、テクストをいま読んでいるという意味では具体的な読者である。それはどういう読者なのか。その読者はどういう感性を持っているのか。そして、そのような読者はいまどこにいるのか。それを知りたいと思う。

ところが、サルトルはこう言っている。「文学作品は不思議な独楽であり、動きのなかでしか存在しない。この独楽を出現させるには、読書という名の具体的行為が必要である。しかもこの独楽が回り続けるのは、読書が持続しているあいだだけである」（「文学とは何か」『シチュアシオンII』加藤周一訳、人文書院、一九八一・五）と。私たちは、これに酷似した文章を知っている。

> 自分の不明瞭な意識を、自分の明瞭な意識に訴えて、同時に回顧しようとするのは、ジェームスの云った通り、暗闇を検査する為に蠟燭《ろうそく》を点《とも》したり、独楽《こま》の運動を吟味する為に独楽を抑える様なもので、生涯寐られっこない訳になる。と解っているが晩になると又はっと思う。（夏目漱石『それから』新潮文庫）

実は、読書が意識の産物である以上、いま読んでいる読者について問うことは不可能なのである。あえて読書行為を一度きりの「出来事」と呼んでそれを書き留めた試みもあるが、もちろんそれは読書の剥製でしかない。それでも繰り返す。「それはどういう読者なのか。その読者はどういう感性を持っているのか。そして、そのような読者はいまどこにいるのか」と。おそらく、いま私たち近代読者は三度目の「地殻変動」のまっただ中にいる。読者と書き手の距離が限りなく近くなってきているのだ。だから、野暮を承知で暗闇に蠟燭を点し、独楽を抑えてみようと思う。そこには、私たち大衆の自画像が映っているはずだからである。

第四章　リアリズム小説と読者

二人の読者

人はいつ内面の共同体を形成する条件である個別的な黙読が可能になったのだろう。いや、これでは問題の立て方がまちがっているかもしれない。個々の能力を問題にしているのではなかった。問題設定はこうあるべきだった。人はいつ個別的な黙読から内面の共同体を形成する能力を身につけたのだろう。それはどのような条件によっていたのだろう、と。

少し古い読者論・読書論を参照することからはじめてみよう。はじめは、フランスの文芸批評家アルベール・ティボーデ「小説の読者」(『小説の美学』生島遼一訳、人文書院、一九六七・一〇)である。

ティボーデが読者について論じるさいに重視するのは読者の性別である。彼は歴史を遡り、書物にはラテン語で書かれたものと「通俗語すなわちロマン語」(ロマン語とは、ラテン語から派生したヨーロッパ各国の言語である)で書かれたものとがあるが、言うまでもなくラテン語で書かれたものは僧侶に代表される専門家が「個人の読書」を行うものであり、ロマン語で書かれたものは「公衆の前で朗読するための記憶の便」のものだったと言う。そして「小説《ロマン》」は「婦人の居間のために生まれ」たので、「婦人という今までとはちがった新しい公衆《あいて》」を持った。もちろん、「婦人の居間」で朗読するのは男性である。

ところが、「印刷術の発明、書物の伝播、人々が内面的に孤独で読書する習慣」が普及すると、朗々と朗読するにふさわしいロマンではなく、日常生活を鏡に映したような技法を用いた「写実主義《リアリズム》と呼ばれる小説」が広く読まれるようになった。読書の物質的な条件が小説のジャンルまで規定したことになる。あるいは、読書の物質的条件が小説の新しいジャンルまで生み出したことになる。

そこで、ティボーデは読者を二種類に分類する。一つは「小説精読者《リズール》」で、これは「教養」のある文芸批評家などの専門的な読者だ。もう一つは「小説の普通読者《レクトゥール》」で、「小説といえば何でも手当り次第に読み、《趣味》という言葉のなかに包含される内的、外的のいかなる要素によっても導かれていない人」だと言う。これが「大衆」だが、ティボーデは大衆を否定しない。「文学において唯一無二の審判者となりうるものは、時間空間の全体にわたるこの公衆にほかならない」とするのだ。

現在の文学理論では、「小説精読者《リズール》」は小説の読みの可能性を広げようとする「テクストの生産者」であり、「小説の普通読者《レクトゥール》」は小説を娯楽作品として素直に享受するだけの「テクストの消費者」と言い換えることができる。それを「唯一無二の審判者」と言えるかどうかは疑問なしとしないが、大衆消費社会では小説の売れ行きが小説の評価と微妙な形で結びついている以上、「テクストの消費者」がある種の「審判者」であることは厳然たる事実である。

ティボーデ「小説の読者」の原本が刊行されたのは、一九二五年。市民社会の形成期で、大衆がはっきりと姿を見せはじめた時代だった。ちょうどそのころ、スペインの哲学者オルテガ・イ・ガセットは代表作となった『大衆の反逆』（原本は一九三〇年刊）を次のように書き出していた。

そのことの善し悪しは別として、今日のヨーロッパ社会において最も重要な一つの事実がある。それは、大衆が完全な社会的権力の座に登ったという事実である。大衆というものは、その本質上、自分自身の存在を指導することもできなければ、また指導すべきでもなく、ましてや社会を支配統治するなど及びもつかないことである。したがってこの事実は、ヨーロッパが今日、民族や文化が遭遇しうる最大の危機に直面していることを意味しているわけである。こうした危機は、歴史上すでに幾度か襲来しており、その様相も、それがもたらす結果も、またその名称も周知のところである。つまり、大衆の反逆がそれである。（神吉敬三訳、ちくま学芸文庫、一九九五・六）

この一文の論調と先のティボーデの結論とを照らし合わせると、ティボーデがいかに

「進歩的」だったかがわかろうというものだ。「小説の普通読者」が歴史上の審判者だとまで言うのだから。

もっとも、オルテガも「国民国家＝一民族＝一言語」という図式はフィクションにすぎないと指摘しているし、「国民国家が存在するためには、国民国家が自己の計画をもつことで十分」だとも述べている。国民国家は自己言及的に形成されるというわけだ。そして、世界を支配しているのは大衆の「世論」だと結論づけている。もしオルテガがいま生きていたら、国民国家という「想像の共同体」と読書行為における内面の共同体との間にある「誤解＝錯覚」の存在を指摘しただろう。なぜなら、この「誤解＝錯覚」が国民国家を自己言及的に形成する原理だからである。

問題は、ティボーデの言う「小説の普通読者」とはどのような読者だったかということだ。しかし、その問について考える前に、ティボーデの言う「写実主義《リアリズム》と呼ばれる小説」とはどのような小説かを確認しておかなければならない。

リアリズム小説と科学

ティボーデの言う「写実主義《リアリズム》と呼ばれる小説」は、いまでは一九世紀リアリズム小説と呼ばれている。日本では夏目漱石の『三四郎』、『それから』、『門』が早い時期のほぼ完成された一九世紀リアリズム小説だと言っていい。では、なぜヨーロッパでは一九世紀にリアリズム小説が可能になったのか。

それは端的に言ってしまえば、一九世紀以降は「神」に代わって「科学」が信じられるようになったからである。「科学」から見れば「神」は人間の想像力の産物にすぎなくなる。一九世紀には、科学的なものの見方が何よりも「正しい」ものの見方だと、人々は考えるようになっていた。科学的なものの見方にのみリアリティー（ほんとうらしさ）が感じられる時代がやって来たのだ。そして、文化のあらゆる方面にもこういう思想が広まっていった。科学パラダイムの成立である。

もちろん、「神」の存在を信じるような宗教的世界観からすれば、現代は「科学」という妙なものを信じている「科学教」の時代にすぎないように見えるだろう。たとえば、一般人にとってはノーベル物理学賞を受賞した理論の「正しさ」を保証するのはノーベル物理学賞を受賞したという事実以外ではないだろう。なるほど、宗教とどこが違うのかということになる。若林幹夫は、「科学は宗教より〝無知〟である」と言っている（『社会学入門一歩前』NTT出版、二〇〇七・九）。宗教は信じれば宇宙の出来事すべてが「わかる」のに、科学は信じていてもわからないことだらけだからだと言うのだ。しかし、それでも私たちは科学は「科学的」だと信じている。

事実、一九世紀にリアリズム小説がフランスで発明される際には、医者が患者の症状を記述する文体を参考にしたと言われている。フランスの作家エミール・ゾラのリアリズム小説論である『実験小説論』（一八八〇年）が、生理学者のクロード・ベルナールによる『実験医学序説』（一八六五年）を参考にして書かれたことはよく知られている。では、その当時医者はどういう文体を採用していたのだろうか。

現代医学の誕生は一八世紀末頃だと言われているが、乱暴に言うと、それまでの医学は病気と患者とを切り離してみる方法を持っていなかった。病気と病人とを区別していなかったということだ。病気になることは、人間がまるごと病むことだったと言えるだろうか。それが一八世紀末頃になると、病人の人柄や人格とは関係なく、病気の症状だけを記述するようになった。病気を体だけの問題として、外側から「客観的」に記述できるようになったのである。

もちろん、重要なのは外側に現れた症状ではなく、人間の内部に巣くう病のほうである。だから、外部から内部を読むようなものの見方を確立する必要に迫られた。そこで、症状という目に見えるものから病という目に見えないものを読みとるような技術が発明されたのだ。つまり、私たちがごく自然に受け止めている医師によるカルテへの病状の記述の仕方は、一九世紀になってから確立したものであって、それ以前の人々から見れば実に奇妙な人間観察の方法に見えるに違いないということだ。この間の事情は、ミシェル・フーコー『臨床医学の誕生』（神谷美恵子訳、みすず書房、一九六九・一二）に詳しく論じられている。

これは人間観の大きな変革、つまりパラダイム・チェンジである。なぜなら、霊的な力によって直接人間の魂に触れることではなく、人間を外側から「客観的」に観察することがもっとも人間の真実に近づく方法だと考えられるようになったからである。一九世紀リアリズム小説が踏まえたのは、こういう人間観であった。リアリズム小説の文体を確立したゾラが「あたかも街の中を鏡を持って歩くように、小説に社会を写し取るべきだ」という趣旨のことを言ったのは、こういう理由による。リアリズム小説の文体は、まちがいなく医学という「科学」から生まれたものだった。医学という「科学」とパラダイムを共有したのだ。

いま私たちが「科学」の時代に生きていることは、紛れもない事実である。そして、「科学」の時代には「客観的」ということがもっとも「正しい」ものの見方だと信じられている。小説もこういう考え方から自由ではいられない。そこで、いかにも「客観的」に見えるような文体を作り出す必要があった。それが、リアリズム小説の文体、すなわち「作者」が文章の後ろに隠れたような文体だったのである。その文体のために、リアリズム小説は「語り手」という、読者が読んでいる〈いま・ここ〉で語る抽象的な主体を必要とした。

「これは「作者」の「主観的」な判断ではありません。誰もがそう思うような「客観的」な判断です」というポーズを見せること、それがリアリズム小説の文体が発明された理由だ。特別な人間だけしか経験できないような夢のような「小説《ロマン》」ではなく、誰もが経験できるような日常的な物語を語るための文体だった。これがリアリズム小説がリアリティーを感じさせる技術なのである。「科学」は誰にでも適応しているはずである。そのように「科学」が信じられる時代には、「科学」の時代に合わせたリアリティーの技術が求められた。そして、このようなリアリティーが内面の共同体を形成する原理だったのである。

リアリズム小説と黙読

このリアリズム小説の発明によって、生身の「作者」が直接小説世界に介入しない文体が出来上がった。そのために現実世界と小説世界との間に距離が生まれ、小説の世界が現実の世界から相対的に自立することができるようになったのである。もちろん、リアリズム小説といっても読者は生身の人間なのだから、読書行為は現実世界に所属している。だから、完全な自立ではなく「相対的に自立した」と言うべきである。

しかし、「相対的自立」であっても自立には違いない。現実の向こう側に、現実によく似たもう一つの世界がある。それが、一九世紀リアリズム小説が読者に与えた世界だった。だから、その虚構の世界はたった一人でも構築できてしまう。ティボーデが言うように、文学が多くの人の前で朗読されていた時期から黙読される時期に移行すると、読書行為はしだいに個別的な営みになっていく。

前田愛は、日本では明治期に読書行為が音読から黙読へ移行したと論じている（「音読から黙読へ」『近代読者の成立』有精堂、一九七三・一一）。永嶺重敏も前田愛の論文を踏まえながら、独自の調査方法によって、読み聞かせなどの「集団的音読」だけでなく、一人で本を読むときの「個人的音読」もあったことを指摘したが、「明治四〇年代以降は明白に読書の主流は黙読に移っていく」（前出『雑誌と読者の近代』）としている。
イギリスの文芸評論家ジョージ・スタイナーは、現代（と言っても一九七〇年頃の話だが）では文化が「音楽化」されていくことを述べる文脈の中で、読書行為はそれとは対立するものだと述べている。

むかし、家長が家族たちに声を出して本を読んだとか、数人の人が一冊の大型の書物を手渡ししながら交代で朗読したとか、そういうかつての習慣を別にすれば、元来読書というものはきわめて孤独な行為である。それは部屋のなかの他のものから読者を遮断し、読者の意識の全てを閉じた唇の背後に封じこめる。愛読書というものは孤独な読者には必要にして十分な相手だが、他の人には扉を閉ざし、他者を侵入者とみなす。要するに、そこには静寂に刻印され、沈黙を要求する厳しいプライバシーがある。（『青鬚の城にて』桂田重利訳、みすず書房、一九七三・一）

このスタイナーの論述を受けて、アメリカの古典学・英語学の研究者ウォルター・ジャクソン・オングは、次のように述べている。

印刷はまた、近代社会を特徴づける個人のプライバシーの感覚の発達のうえでも、重要な因子となった。印刷は、手書き本の文化においてふつう見られるよりも小さくて持ち運びができる本をつくりだした。このことは、心理的に見るならば、静かな片隅で一人で本を読むための、そして、その結果として、まったく声を出さずに本を読む〔黙読する〕ためのお膳立てを整えたのである。（前出『声の文化と文字の文化』）

このような読書行為が、初期には違和感を持って迎えられただろうことは想像に難くない。たとえば、イギリスの精神科医デーヴィッド・クーパーは家族の中での「孤独」についてこう述べている。

家族という組織の中には、近親相姦のタブーとか貪欲や汚れに対するタブーなどよりもはるかに広汎なタブーが沢山ある。そのなかの一つとして、世界において孤独を経験することを暗黙に禁止したタブーがある。実際、孤独でいられる能力が発達するほど長期間にわたって、子供をずっと自分の手もとから離しておくことのできる母親は、ほとんどいないように思われる。（塚本嘉壽・笠原嘉訳『家族の死』みすず書房、一九七八・六）

こういう一節を読むと、母親が幼い子供に朗読するのは教育のためではなく、家族の中での「孤独」というタブーから我が子を遠ざけるためではないかとさえ思われてくる。

黙読という読書行為は、文化的にそれほど重い意味を持つ営みなのである。つまり、音読から黙読への移行は、読書行為においてそれほど大きなパラダイム・チェンジだったのだ。

それは日本でも同様だった。永嶺重敏の言葉を引こう。

音読段階にあっては読み聞かせや朗誦等読書は共同体的受容の様相を呈していた。読書は個人で享受するよりも家庭や仲間友人間での集団的受容を前提にしたものであった。しかし、黙読が支配的になるにつれて、読書は人々の間から離れて孤独の中で一人で読むものになった。

このように、黙読化の進展は読書の個人化と内省化を随伴したが、黙って一人で皆から離れた所で本を読む青少年の姿は、旧来からの共同体的音読的伝統に慣れた人々には一種の不安感を与えるものであった。音読の時と違って、一体何を読んでいるのかその内容が周囲には分からない。そして、多くの青少年が孤独の中でますます多くの本をますます早く読むようになるにつれ、彼らの不安は増幅していった。青少年の読書内容への指導の必要性が人々に感じられ始めるようになる。（前出『雑誌と読者の近代』）

「孤独」への違和感があったという指摘だけでなく、現代でも広く行われている課外での読書指導が、黙読の普及と深い関係があるかもしれないという指摘は興味深い。注意すべきことは、これらは黙読が一般化したからこそ問題と感じられたという点である。それは大衆という名の「小説の普通読者《レクトゥール》」の時代の到来を意味していた。なぜなら、朗読してもらっていたのでは多くは読めないが、黙読を身につけた「小説の普通読者《レクトゥール》」は「小説といえば何でも手当たり次第に読み、《趣味》という言葉のなかに包含される内的、外的のいかなる要素によっても導かれない人」（ティボーデ）だからである。多読と孤独、この二つの要素が「小説の普通読者《レクトゥール》」＝「テクストの消費者」を特徴づけている。

これがティボーデの言う「小説の普通読者」である。ただし何度でも確認するが、この「孤独」は内面の共同体に向かって開かれている。

物語の四つの型

内面の共同体と現実との関係をもう少し見ておこう。

私たちは本を読むとき、さまざまなことを期待している。なぜ期待するのかと言えば、事前に多くの知識があるからだ。作者名、タイトル、本の装幀、本の判型、帯の惹句、広告の惹句、書評などなど、本をめぐるさまざまな知識を、文学理論では「パラテクスト」と呼ぶ。パラテクストがまったくない、ゼロの状態で本と出会うことはない。そもそも、本を手にするときには、もうそれがある特定の装幀に包まれ、特定の判型をした

「本」だとわかっているはずである。

ドイツの文学研究者ハンス・ロベルト・ヤウスは、この点について次のように述べている。

文学作品は、新刊であっても、情報上の真空の中に絶対的に新しいものとして現われるのではなく、あらかじめその公衆を、広告や、公然非公然の信号や、なじみの指標、あるいは暗黙の指示によって、全く一定の受容をするように用意させている。(『挑発としての文学史』轡田収訳、岩波書店、一九七六・六)

何も情報がないところに新刊の文学作品が出現するのではなく、すでにパラテクストに囲まれて現れるのだと、ヤウスは言っている。最後の「全く一定の受容をするように用意させている」とは、小説は小説らしく読むようにすでに用意されているという意味である。具体的には、小説に書かれている内容はフィクションだと受け取るように準備されているということである。

もう一つ言えることは、私たちがその本が小説だとわかるのは、パラテクストによってすでにそういう情報を得ているという以外に、それまでに読んだ小説に似ているからでもある。小説で語られる物語にはそれほどバリエーションがあるわけではないから、「似ている」という感覚はしばしば私たちにやってくる。

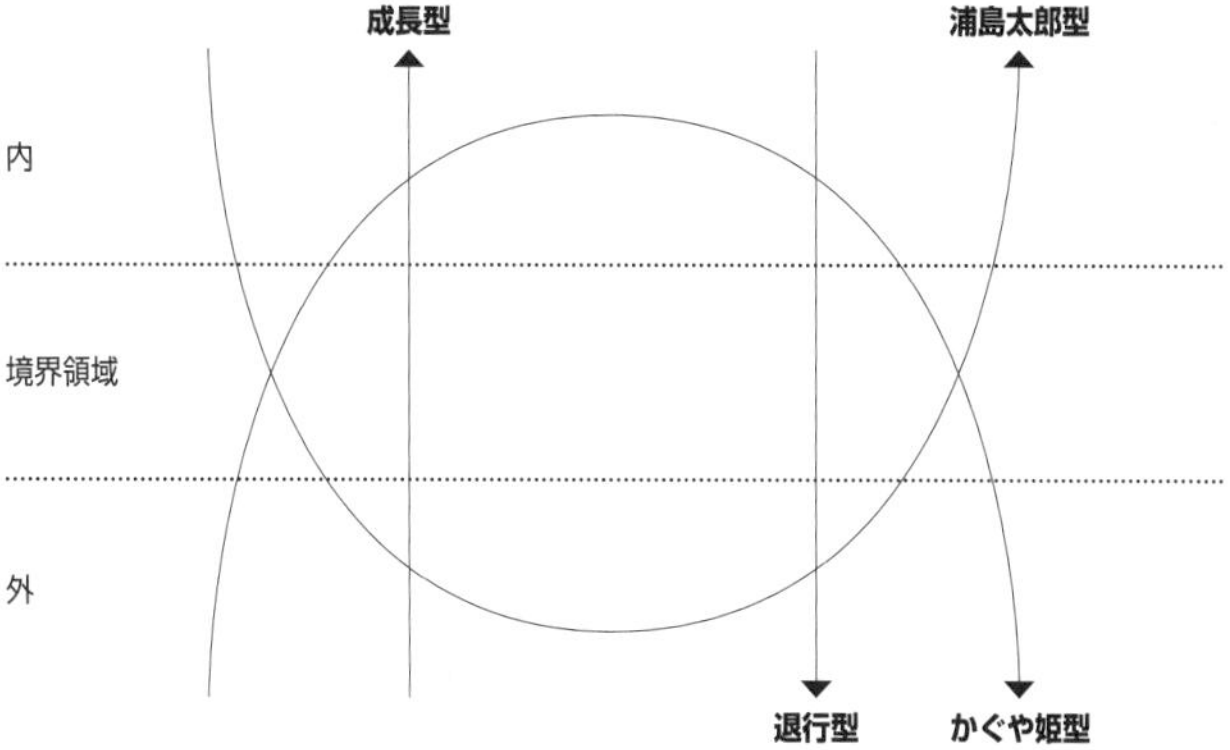

ヤウスは「期待の地平」という概念で文学を考えることを提案している。この概念自体は簡単に説明できてしまうが、その前に物語には型（パターン）があるということについて、それなりの説明が必要だろう。これまでにも書いたことがあるが、是非必要なので繰り返しておこう。

物語の型は、大きく分けて四つある。それを図にしたので見てほしい。

「内」「外」とあるのは、私たちのいる場所（位置）との関係のことである。「内」は私たちのいる場所、つまりこちら側である。秩序のある場所と言ってもいい。「外」は私たちのいない場所、つまり向こう側である。秩序のない場所と言ってもいい。「境界領域」とは、「内」と「外」との間の不安定な場所で、一般的には事件の起こりやすいところである。

たとえば、旅行を考えると、出発地点が「内」

で、目的地が「外」になる。そして、実際の旅行の過程が「境界領域」となる。「境界領域」で事件が起こりやすいことはわかりやすいだろう。無事ゴールできれば、それでハッピーエンドである。だから、物語は「境界領域」を好んで書くのである。

もう少し、高級な例を挙げよう。子供が大人に成長する過程だ。物語は大人によって書かれるから、「大人」の位置が「内」になり、「子供」の位置が「外」になる。もっと簡単に言えば、大人にとっては自分たちは「理性のある大人」で、あの人たちは「わけのわからない子供」だと感じられるということだ。実は、子供はこういう感じ方で書かれた物語を、「大人」の視点から読んでいることになる。

子供が大人に成長する過程では、「境界領域」とは「青春時代」を指す。「青春時代」とは、「子供」でも「大人」でもない時代だからだ。そして、個人の成長の過程では、秩序があるようなないような「青春時代」という不安定な時期に、事件が起こりやすいということだ。「青春時代」を書いた小説がいかに多いことか。

この三つの領域を主人公が移動するのが物語である。その物語の型は四つある。

一つ目は浦島太郎型で、地上のある村（内）から海の中の竜宮城（外）に出かけて行って、再び地上（内）に帰ってくる物語である。〈内↓外↓内〉と、主人公が移動することになる。二つ目はかぐや姫型で、月（外）から来たかぐや姫が竹から生まれて地上（内）で生活し、再び月（外）に帰って行く物語である。今度は、主人公は〈外↓内↓外〉と移動することになる。ただしこの二つの型は、ある程度長い物語に現れる型であり、また古典作品に多く、そして現代文学ではファンタジーに多い型だ。ファンタジーは、現実世界（内）から幻想的な世界（外）へ行って、また現実世界（内）に戻る浦島太郎型が多い。

三つ目は成長型で、物語では最も多い型だ。子供が大人へと成長する物語が一般的である。つまり、「少年が男になる物語」、「少女が女になる物語」である。たとえば、「田舎（外）から都会（内）に出てきた少年が、さまざまな苦労をして一人前の弁護士になりました」というような物語がこの典型である。主人公は、〈外↓内〉と移動することになる。この型は、都会で成功することや、立派な大人になることを価値があることだと考えているから、どこか通俗的な感じがする。

四つ目はこの逆の退行型だ。退行とは、元いたところに戻ることである。大人から子供へ、都会から田舎へという移動になる。退行型には、成長型への批判が含まれている。たとえば、「都会（内）での非人間的な仕事に疲れた猛烈サラリーマンが、昔住んでいた田舎（外）の農場で自然に囲まれて暮らすうちに、子供時代の心を取り戻して、人間性を回復した」というような物語である。成長して都会で成功したことを批判しているのである。そこで、この退行型の物語は成長型の物語に比べて高級な感じを与える。

最後に、この図にはないが、終わりがはっきりした結末になっていなくて、この後どうなるかが読者に告げられていないまま終わる「オープン・エンディング」という型がある。これは日本では明治四十年頃の自然主義文学最盛期に確立された型だ。

物語は「はじめ」で提示された課題が「終わり」で解決することで物語となっている。しかし自然主義文学は、日常生活はそんなにうまい具合に結末を迎えるわけではないし、物事が解決するわけでもないと考えた。そこで、物語を作りすぎることを批判して、日常生活を何気なく切り取ってきたようなはっきりとした結末のない小説を好んで書いた。それが結果としてオープン・エンディングという技法の確立につながったのである。いまでもオープン・エンディングは少なくないが、それは読者のために小説に余韻を残すためであって、自然主義文学のような哲学があってのことではないようだ。

ある程度読書量のある読者なら、物語が四つの型（+オープン・エンディング）に収まることを理解しているだろう。それが「読者の期待」を構成するのである。

「期待の地平」はどういう意味を持つのか

リアリズム小説で語られる物語は、主に成長型の物語と退行型の物語の二種類しかない。成長物語は一般に価値が高いとされる位置（たとえば大人）に到達することを目標としている。一方、退行物語は一般に価値が低いとされる位置（たとえば子供）に戻ることを目標としている。読者は、退行物語からは立身出世的な世俗の価値観に対する批評を読み込むだろう。

ここで再びヤウスの文章を引用しておこう。

ある文学作品が、出現した歴史的瞬間に、その最初の読者公衆の期待を満たしたり、超えたり、失望させたり、あるいは覆す流儀様式は、明らかに、その作品の美的価値決定の一つの判断基準となる。期待の地平と作品との懸隔、すなわち在来の美的経験ですでに親しんでいたものと、新しい作品の受容によって要求される「地平の変更」との懸隔が、受容美学的に文学作品の芸術性格を決定するのである。

（前出『挑発としての文学史』）

要するにこういうことである。

小説を読むとき、読者はさまざまな期待を持ち、予測を立てながら読んでいく。小説がそれらとどう関わるかということである。「期待の地平」通りに終わったとすれば、その小説は読者に新しい何かをもたらさなかったことになる。一方、「期待の地平」が裏切られたとするなら、その小説は読者に新しい何かをもたらしたことになる。

ヤウスによれば、「期待の地平」通りに終わった小説は通俗的で美的な価値が低く、「期待の地平」を裏切って終わった小説は芸術的で美的な価値が高いことになる。ヤウスはこういうことを「期待の地平」という言葉で論じることができると言っているのである。あえて言えば、退行型の物語の方が成長型の物語よりも「期待の地平」をわずかでも裏切る意味において、芸術としての価値が高いことになる。しかし、「期待の地平」という概念は芸術の価値とまっすぐ結びつくのだろうか。

一つ例を挙げておこう。アメリカの比較文学研究者ロバート・スコールズは、「期待の地平」が残酷なまでに機能する例を挙げている。日本で起きた公害、水俣病を撮り続けた写真家ユージン・スミスに「入浴中のトモコ」という写真がある。限りない愛の表情を顔にたたえた母親が、水俣病患者の「トモコ」を浴槽に横たえながら抱きかかえて入浴させている写真である。水俣病を世界に知らしめた写真の中の一枚である。スコールズは、この一枚の写真についてこう言っている。

この場合においてスミスは、自分が何を求めているのかをあらかじめ知っていたのだと私は考える。彼は我々の文化史全体の中でイメージと概念が最も根強く、精緻に結合しているもの——図像法のコード、ピエタ——を知っていたのだ。処刑された我が子の傷ついた身体を腕に抱く悲しみの聖母マリアのイメージ。彼が「写真の自己構築」と感じたものは、実は母と子の身体が、このすでにコード化されたイコンに近づいていくプロセスだったのである。(『読みのプロトコル』高井宏子ほか訳、岩波書店、一九九一・一)

スミスが「写真の自己構築」という言い方で、写真が自らの力でイメージを構築したのだと主張したのに対して、スコールズはいわばスミス自身が「期待の地平」にしたがっただけだと言っているのである。だから、ヨーロッパの人々にもこの写真の意味が理解できたというわけだ。私が、キリスト教文化圏であるヨーロッパから来た留学生何人かにこの写真を見てもらったところ、全員が即座に「聖母マリアをイメージした」と答えた。どうやら、キリスト教文化圏の人々にはこの写真について「期待の地平」が共有されているようだ。しかし、だからといってこの写真の芸術的な価値が低いわけではないだろう。

　私たちは新しい何かだけを求めて小説を読むわけではなく、いつも通りの安心感を求めて小説を読むことも少なくない。疲れているときには、「期待の地平」通りに終わる娯楽作品を見たり読んだりすることで、心を癒やしたいと思う。それも小説読みの立派な権利だ。特に心が疲れているときや傷ついているときには、とても新しい展開の小説にはついて行けない。芸術度の高い、すなわち「期待の地平」を裏切る小説を読むことは一種の創造行為に巻き込まれることであって、体力がいるからだ。だから、ヤウスの「期待の地平」は芸術を論じるための概念であって、それ以上でも以下でもない。価値を決めるのは「期待の地平」という概念ではなく、読者である。

　私たちの議論にとって重要なのは、「期待の地平」が芸術の価値を計る基準となるか否かではない。重要なのは、先の「入浴中のトモコ」の例のように、「期待の地平」が人々の間で共有されるという事実である。「期待の地平」はイメージではなく「現実」に属しているのだ。それはまちがいなく内面の共同体が成立していることを物語っている。

第五章

読者にできる仕事

小説が「終わる」ことの意味

小説を読んでいるときに、あまりにも面白くて終わらなければいいいと思うときがある。一方で、やはりあまりにも面白くて早く結末が知りたいと思うときもある。小説の終わりについて、私たちの要求は時としてあまりにも複雑で、矛盾していることさえある。イギリスの英文学者フランク・カーモードは、こういうことを言っている。

終わらねばならぬということは、小説の大きな魅力の一つなのである。しかし、黙示録的な教派のいくつかが現在でもそうであるように、われわれが極端に素朴でないかぎり、われわれは小説がその終りに向かって、われわれが信じるようになっているまさにそのとおりに進むことを求めはしない。（『終りの意識』岡本靖正訳、国文社、一九九一・四）

「しかし」以下の第二文はやや持って回った言い方をしてはいるが、第四章までの議論を踏まえれば、読者は結末において「期待の地平」が裏切られることを望んでいるものだと言っていることがわかる。重要なのは、第一文だ。「終わらねばならぬということは、小説の大きな魅力の一つなのである」。小説の魅力は終わることにあるというわけだ。なぜだろうか。それは、終わりにいたってはじめて小説の全体を手に入れることができるからだ。

川端柳太郎が、カーモードの言わんとしていることを解説してくれている（『小説と時間』朝日選書、一九七八・一〇）。

私たちが日常継起しているある事件に、意味を感じ、その意味を意識して語る場合には、その事件は始めと終りで区切られる。ある女性が自分の恋を不幸なものだと意識している時には、彼女は相手の男性との出会いそのものを、不幸なめぐりあいとして語り始めるだろう。しかし始めは苦労が多かったが、結局は幸せな恋だったと思っている時点では、二人のめぐりあわせは幸せなものだったという実感をこめて語られる。（中略）つまり始めと終りが意味づけられて構成されているということが、虚構の時間の本質であるといえよう。

こういうことだ。日常生活の時間には始めも終わりもない。しかし、それがある出来事に焦点が合わされて物語の様相を呈し始めると、因果関係が導入される。ある時点が原因となって、それ以後のある時点が結果となるのである。つまり、始めと終わりを持つ。そして、終わりが始めを意味付けることになると言うのだ。終わりから始めを逆算するようなものだと言っていい。

では、小説の読者が手にする全体とはどういうものなのだろうか。

エッセイというジャンルでは、書かれた内容とそれを書いた筆者の固有名詞とが強固に結びつく。たとえば、村上春樹の生活を知り、意見を聞こうと思って彼のエッセイを読む読者は少なくないだろう。その結果、エッセイの読者は書かれた内容を理解したり解釈したりするときに筆者にまつわる情報に強く拘束される。いや、拘束されるというよりも、むしろそれが自然だと言える。その意味で、エッセイの読者が手にしている自由は小説ほど多くはない。それは、書いてあることはホントのことだという前提があるからである。

しかし近代以降、小説の読者は書いてあることはホントのことだと思わなくてもいいという約束事が成立した。そこで小説の読者は、作者のことは忘れて、自分の好きなように解釈できる自由を手にすることができるのだ。この自由に解釈できるポジションが、物語の全体をすでに知っているポジションと重なるのである。つまり、終わりから始めを逆算するように解釈する自由である。これがフィクションを読むということの意味である。

ところが、小説を読んだ子供はすぐに「これホントにあったことなの?」と聞くだろう。そして作り事だと知ると、がっかりするだろう。実は、「小説はフィクションを書いていい」とか「小説はホントのこととして読まなくていい」という約束事は結構高級なのだ。だから、この約束事は学習しなければ身につかない。つまり、これは個人的な約束事なのではなく、社会的な約束事だということである。

作り事だとわかっている話に感情移入することが読書の喜びになるためには、読者が自由に自分の世界観や人生観を持っていいと考える個人主義とおそらく深い関わりがある。個人主義は他人の自由をも認めるから、そこには「自分は自由に解釈しているから、他人も自由に解釈しているだろう」という形でのメタ・レベルでの内面の共同体が形成される。しかし同時に、小説は他の小説に似ているので、「他人も自分と同じような解釈をしているかもしれない」という形でのメタ・レベルでの内面の共同体も形成される。

実は、この二つのメタ・レベルでの内面の共同体は矛盾しないことが多い。なぜなら、「自由に解釈していいと思うこと」と、「実際に自由に解釈すること」（つまり、他人とは違った解釈をすること）は同じではないからである。大学で新入生を教えていて苦労するのは、十人十色の解釈が教室を乱れ飛ぶからではなく、同じ解釈ばかりという状態から個性を引き出さなければならないからなのである。新入生を教えていると、高校までの国語教育がいかに均質な内面の共同体を作り上げているのかがよくわかる。

ちなみに、近代日本では個人主義は国家と対立するものとして、あるいは「自分勝手」という意味に受け取られて忌避されていたが、大正期になった頃から、いざというときには国家には従い、ふだんは他人の自由をも認めるという条件付きで定着しはじめたようだ。こういう事実と国民国家の形成期は、内面の共同体を経由して関係しているはずだ。

第三章で指摘したように、成田龍一は、一九〇〇（明治三十三）年前後に読者の地殻変動が起きて、それまでまとまりのなかった読者に「「われわれ」意識」を持つ「読者共同体」が形成されたと論じているが（前出『近代都市空間の文化経験』）、これは自分たち（われわれ）ではない何かとの差異を強調して形成されたものだった。それに対して、個人主義を前提に形成される内面の共同体は、他者の承認を前提とした「「われわれ」意識」の内部における読者の地殻変動である。それは解釈の多様性か単一性かといった問題をめぐるものだから、この時期の内面の共同体の形成は、いわばテクスト論的な読者の地殻変動だと言っていい。

昭和初期の円本全集の大流行によって明治の文学が「古典＝正典」となるにおよんで、内面の共同体の形成がより強固なものになった。それが国民国家の形成期に力を貸したことは言うまでもないだろう。国民国家はある時期に突然形成されたのではない。いくつかの段階を経て、テクスト論的な繊細さをともなって、徐々に私たちの内面に形成されていったのだ。

小説のゲシュタルト

読者が自由に読めるということは、理論的に小説には「完成した形」とか「完全な形」がないという結論を導く。小説はいつも「未完成品」なのだ。文学理論では、読書行為について考える理論を「受容理論」と呼ぶ。英語で書かれた文学理論書を多く翻訳している大橋洋一は、受容理論の観点からこの点について次のように述べている。

　受容理論の観点からみると（中略）、読者とは、限られた情報から全体像《ゲシュタルト》をつくりあげること。これを読者と作者との関係からいうと、読者は作者からヒントをもらって、自分なりに全体像をつくりあげるといってもいいかもしれません。（『新文学入門　T・イーグルトン『文学とは何か』を読む』岩波書店、一九九五・八）

　ここで言う「全体像《ゲシュタルト》」は、音楽の音階を考えるとわかりやすい。「ドレミファソラシド」の音階はピアノの右側の高い音で弾いても、左側の低い音で弾いても同じように聞こえる。あるいは、ギターで弾いても同じ「ドレミファソラシド」に聞こえる。絶対音や音の種類が違うのに不思議な現象だ。こういう現象について、人間には「ドレミファソラシド」という音階を「全体像《ゲシュタルト》」として認識する能力があるので、たとえどの音階でもどんな種類の音でも、一つ「ミ」という音を聴いただけでそれが「ドレミファソラシド」のどの位置にある音かがわかると考えるのが「全体像《ゲシュタルト》心理学」である。

　大橋洋一の説明に戻れば、受容理論とは「文学作品というものを、完成したものではなく、どこまでいっても未完成なものである」（傍点原文）と考えることになる。それは、あたかも「塗り絵理論」のようなものだと言うのである。「塗り絵理論」とは、読書行為はたとえば線で書かれただけの「未完成」な人形の絵を、クレヨンで色を付けて「完成」させるようなものだとする考え方である。

ここで注意すべきなのは、読者は「全体像《ゲシュタルト》」を名指しすることができるという事実である。たとえば、上のような「図」(?)を見てほしい。これは何だろうか。多くの人は「立方体」と答えるだろう。だが、なぜ「九本の直線」と答えてはいけないのだろうか。もちろんそう答えてもいいはずなのだ。

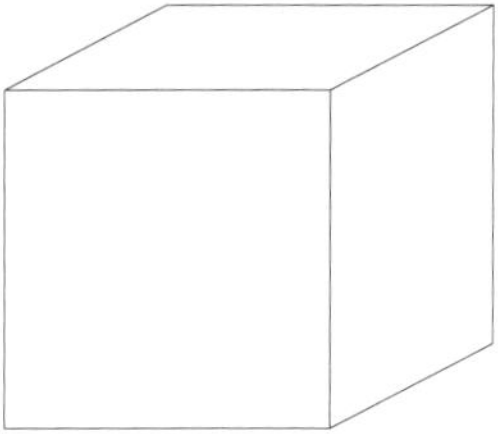

いや、その方が「正しい」はずである。にもかかわらずこの「図」を「立方体」と答えてしまうためには、二つの前提が想定できる。

一つは、私たちの想像力がこの「図」の向こう側に回って、「九本の直線」に奥行きを与えているということだ。想像力は「全体像《ゲシュタルト》」を志向するのである。二つは、そのような想像力の働かせ方をするのは、私たちがあらかじめ「立方体」という「名」を、つまり「全体像《ゲシュタルト》」を知っているということだ。先の例でも、「ドレミファソラシド」の音階を知らない人に「ミ」だけ聴かせても、「ドレミファソラシド」という「全体像《ゲシュタルト》」が浮かび上がってくるはずはない。

目の前にあるテクストが「未完成」であるとか「一部分」であるとか感じるためには、

読者に「全体像」がなければならないのである。読者は「全体像《ゲシユタルト》」を知っているという二つ目の前提が、読者は「全体像」を志向するという一つ目の前提である想像力の働き方を規定していると言える。ここでこの原理を受容理論に応用すると、「作品とは読者が自分自身に出会う場所」（傍点原文）であって、「読書行為とは、読者が自分自身をたえず読んでゆくプロセス」（大橋洋一）だということになる。なぜなら、読者が持っているすべての情報が読者ごとの「全体像《ゲシユタルト》」を構成するからである。

そう言えば、私たちはこれまで多くの小説を、「成長の物語」とか「喪失の物語」とか「和解の物語」といった類の、私たちがすでに知っている「物語」として読んでいたのではなかっただろうか。つまり、実は小説にとって「全体像《ゲシユタルト》」とは既知の「物語」なのである。だからこそ、私たち読者は安心して小説が読めたのだ。

私たちは小説を読みはじめたときから「この物語の結末はもう知っている」と思うだろう。読みはじめたばかりの小説なのに、もう全部知っているのだ。まだ知らない世界をもう知っているという逆説がそこにはある。読者は知らない道を歩いて、知っているゴールにたどり着く。適度なスリルと、適度な安心感があるのだ。私たちが小説に癒されるのは、そういうときだろう。フランク・カーモードはこうも言っている。「ストーリーは始まったところで終わる」（前出『終りの意識』）と。

空白とテクストの内部にいる読者

樋口一葉に『たけくらべ』（明治二十八～二十九年）という名作があることはよく知られている。

舞台は花街である吉原のすぐ近くに位置する千束町、時代は明治二十年代後半。花魁《おいらん》を姉に持つ十四歳の美登利が主人公だが、『ロミオとジュリエット』や『ウエストサイド物語』のように、子供たちは住む町や通う学校などの違いから二手に分かれて対立している。ある夏祭りの夜に子供たち同士の喧嘩があったが、美登利の思い人だった藤本信如《しんにょ》が対立するグループにいた。美登利は翌日から学校に通うのを止め、ふさぎ込んでしまう。秋になると美登利のふさぎ込みぶりは深刻になった。そんな時期に、寺に生まれた信如は僧侶になるための学校へ通うために、この町を離れるのだった。

この『たけくらべ』にもう二十年以上も「初店論争」がくすぶっているのだ。と言うのも、美登利が秋にふさぎ込む直前に、美登利のゆくえがわからなくなる奇妙な空白の時間があるからだ。従来は、美登利のふさぎ込みは初潮が原因だと考えられていた。ところが、一九八五年にこの空白の時間に美登利の「初店」（処女がはじめて客を取ること）が行われていたのではないかという疑問が出されたのだ。さらには「初検査説」（芸妓になるために、性器を診る性病の検査を受けること）も提出されている。どの説もある程度の説得力はあるが、決め手を欠いていて、決着はついていない。

なぜこういう論争になったのか。それは、この小説に美登利に関して明らかな空白の時間があるからだった。正確に言えば、空白の時間があることが書き込まれているからだった。もともと、小説の言葉は空白だらけだ。「朝起きて、急いで家を出た」とあっても私たちは自然に読んでしまうが、それは歯をみがいたとか、朝食を取ったとか、服を着たとかごくふつうに行われていることは行われているだろうと勝手に想像して読むからである。つまり、部分を読んでそれを全体化するということだ。しかし、『たけくらべ』の空白の時間はあからさまである。そして、その時間に美登利が何をしていたのか、小説中には決め手がない。だから、長い間論争になった。

この論争の理論的背景は、現代の受容理論ではきちんと説明されていることだ。ヴォルフガング・イーザーというドイツの文学理論家の文章を引用してみよう。

空所はテクストにおけるさまざまな叙述の遠近法の間の関係を空白のままにしておき、読者がそこに釣り合いを作り出すことでテクストに入り込むようにする働きをもつ。すなわち、空所は、読者がテクスト内部での均衡活動を行なう糸口となる。それに対して否定可能箇所は、読者に既知のことあるいは確定的な事柄を思い起こさせ、しかもそれを打ち消すようにする働きをもつ。打ち消されたといっても、それは視界に残り、読者は既知あるいは確定していることに対する態度を修正するように仕向けられる。(『行為としての読書』轡田収訳、岩波書店、一九八二・三)

ここでは二つのことが言われている。

一つは、文学テクストは穴ぼこだらけだが、その穴ぼこを埋めることで読者はテクストの内部に入れる。読者がテクストの内部に参入するきっかけが「空所」だと言うのである。

もう一つは、文学テクストの読者は自分の読み方を修正しながら読むものだということである。前の章で引いたヤウスに言わせれば、修正が多い方が芸術度が高いことになる。穴ぼこを埋めようとテクストの内部に入ったら読者の期待と違っているのだから、芸術度の高い文学テクストを読むのは疲れるわけだ。

「内包された読者」の仕事

テクストの内部で仕事をする読者とはどのような読者だろうか。イーザーはそれを「内包された読者」と名づけた。

文学作品によってひき起こされる作用や受容を解明しようというのであれば、読者の性格とか歴史的な立場に対する一切の予断をもたずに、読者概念を導入しなければならない。そこで、適切な名称として「内包された読者 der implizite Leser ; the implied reader」の概念を用いることにしよう。これは、文学作品の作用にとって必要なあらゆる前提条件を具象化してみたものである。こうした前提条件は、経験的な外界の現実に拘束されてはおらず、テクストそのものが内包している。従って、概念としての「内包された読者」は、テクスト構造に組み込まれている。つまり、これは構成概念であって、決して現実の読者との同定を目的としてはいない。

（前出『行為としての読書』）

イーザーの提案する「内包された読者」とは文学テクストを読むためのすべての条件を備えた読者のことを言うが、もちろん現実にはそんな読者は存在しない。もしそんな読者が小説を読んだら、その小説の読み方はすべてわかってしまうことになる。それは、小説の死である。「内包された読者」とは、現実の読者について説明するための概念ではなく、文学テクストを分析するための概念である。

しかし、読者がいつまでもテクストの外部にいては小説は読めない。小説の読者にはテクストの内部に仕事場があるのだ。再び、イーザーの文章を引用しよう。

内包された読者の概念は、テクストには読者の反応を導く構造のネットワークがあり、それによって読者のテクスト理解が促進されるという力学的な過程を総称している。

どのような文学テクストであっても、読者に対して、つねに特定の役割を提供し

ている。この役割の概念構成が内包された読者である。（同前）

「内包された読者」がはっきり自らの位置を指定される場合もある。地の文における否定形と登場人物の位置や移動に関する記述だ。第一章で簡単に触れたが、田山花袋『蒲団』（新潮文庫）の一節を例として引用しよう。『蒲団』は、売れない作家竹中時雄のもとへ芳子という若い女性が弟子入りしたが、性的な魅力に時雄が心かき乱される物語である。


玄関から丈《たけ》の高い庇髪《ひさしがみ》の美しい姿がすっと入って来たが、

「あら、まア、先生！」

と声を立てた。その声には驚愕《おどろき》と当惑の調子が十分に籠《こも》っていた。

「大変遅くなって……」と言って、座敷と居間との間の閾《しきい》の処に来て、半ば坐って、ちらりと電光のように時雄の顔色《かおつき》を窺《うかが》ったが、すぐ紫の袱紗《ふくさ》に何か包んだものを出して、黙って姉の方に押遣《おしや》った。

「何ですか……お土産《みやげ》？　いつもお気の毒ね？」

「いいえ、私も召上るんですもの」

と芳子は快活に言った。そして次の間に行こうとしたのを、無理に洋燈《ランプ》の明るい眩《まぶ》しい居間の一隅《かたすみ》に坐らせた。美しい姿、当世流の庇髪《ひさしがみ》、派手なネルにオリイヴ色の夏帯を形よく緊《し》めて、少し斜《はす》に坐った艶やかさ。時雄はその姿と相対して、一種状《じよう》すべからざる満足を胸に感じ、今までの煩悶《はんもん》と苦痛とを半ば忘れて了《しま》った。有力な敵があっても、その恋人をだに占領すれば、それで心の安まるのは恋する者の常態である。

時雄が姉の所に預けた芳子の遅い帰りを待つ場面である。語り手は、時雄に寄り添ってこの場面を語っている。たとえば「入って来た」と言う語り方にそれがよく現れている。したがって、「内包された読者」はその位置に立たされることになる。

ところが、最後の二つの文は違う。「忘れて了った」ことを時雄自身が意識することはできないし、最後の一文は、時雄の外の視点からの時雄の説明だからである。この一文の説明は、時雄の意識の外にある。語り手だけが持っている情報を提示しているからだ。そして、「内包された読者」にはそれらのすべてがわかるのである。この一節には「内包された読者」の位置が用意されている。このように、「内包された読者」の位置は、「忘れてしまった」とか「知らなかった」といったいわば「否定形の文」にはっきり用意されていることが多い。

したがって、この場面を「時雄は安心した」と要約することは間違いではない。しかし、「時雄は心の安まるのを自覚した」とか「時雄は自分が恋するものだと悟った」などと要約することは間違っている。それは、「内包された読者」の位置を時雄の内面に反映させてしまったものだからだ。

さらにここで注目しておきたいのは、「ちらりと電光のように時雄の顔色を窺った」という一節である。このすぐあとにも、「芳子は時雄の顔色をまたちらりと見た」という一節が書き込まれている。芳子に後ろめたいところがある場面なのだから、「保護者」である時雄の「顔色」をのぞき込むのは当然と言えば当然の仕草である。大切なことはこの仕草が時雄には見えていないだろうということである。この仕草も「内包された読者」にしかわからないのだ。時雄には意識されていないこと、知らないことをも含めて、「内包された読者」にはわかるのである。

「内包された読者」はよく知っている

「内包された読者」について、さらに具体例で考えてみよう。はじめに取り上げるのは、夏目漱石『坊っちゃん』（新潮文庫）の冒頭の一節である。

親譲りの無鉄砲で子供の時から損ばかりしている。小学校に居る時分学校の二階から飛び降りて一週間程腰を抜かした事がある。なぜそんな無闇をしたと聞く人があるかも知れぬ。別段深い理由でもない。新築の二階から首を出していたら、同級生の一人が冗談に、いくら威張っても、そこから飛び降りる事は出来まい。弱虫やーい。と囃したからである。小使に負ぶさって帰って来た時、おやじが大きな眼をして二階位から飛び降りて腰を抜かす奴があるかと云ったから、この次は抜かさずに飛んで見せますと答えた。

この一節についてはすでに詳細な分析があるので（小森陽一『構造としての語り』新曜社、一九八八・四）、それに沿って説明していこう。

この一節が思わずニヤッとさせられるほどおかしいのはなぜだろうか。いや、この一節をおかしく読むためには私たちはどういう読者にならなければいけないのだろうか。それは、私たち自身が「なぜそんな無闇をしたと聞く人」の立場に立つことである。

万が一、「こんなふうに囃し立てられたら、小学校の二階だろうと何だろうと飛び降りるのが当然だ」などと考えてしまう読者がいたとしたら、この一節の〈坊っちゃん〉は当然のことをしただけなのだから、面白くも何ともないだろう。「なぜそんな馬鹿馬鹿しいことをしたのだろう」と思って読むから、次に示される同級生が「囃したから」だという理由にもならない理由を大真面目に語る〈坊っちゃん〉が「おかしな奴」に読めるのである。これが「内包された読者」になることなのである。この一節の「内包された読者」とは「なぜそんな無闇をしたと聞く人」のことだったのだ。

次に、やっかいな一節について考えてみよう。太宰治『人間失格』（新潮文庫）からである。語り手の大庭葉蔵は、体育の時間に行った自分のおどけを見破った竹一について、こう語る。これは大庭葉蔵の手記なのだから、正確に言えば「こう書く」と言うべきだろうか。

しかし、さすがに、彼を殺そうという気だけは起こりませんでした。自分は、これまでの生涯に於《お》いて、人に殺されたいと願望した事は幾度となくありましたが、人を殺したいと思った事は、いちどもありませんでした。それは、おそるべき相手に、かえって幸福を与えるだけの事だと考えていたからです。

「内包された読者」の位置からこの一節を読めば、それほど違和感はない。しかし、ひとたび「語られた昔の大庭葉蔵」の位置に立つと、違和感は大きくなる。問題は「自分は、これまでの生涯において、（中略）人を殺したいと思った事は、いちどもありませんでした」という文章である。「人を殺したい」という想念がまったくないまま、「人を殺したいと思った事は、いちどもありませんでした」と書くことができるだろうか。「殺す」ことをまったく想定せずに、殺すことが「おそるべき相手に、かえって幸福を与えるだけの事だと考え」ることができるのだろうか。それは不可能だろう。

この矛盾を解く解決策はおそらくただ一つしかない。それは、「内包された読者」の位置＝「語っているいまの私」の位置にだけ立ってこの文章を読むことである。そうすれば、「語られた昔の大庭葉蔵」は「殺すこと」をまったく考えていなかったが、すでに「殺すこと」を視野に入れた「語っているいまの大庭葉蔵」は過去を振り返って、

「語られた昔の自分」の思考を意味づけているという説明がある程度の説得力を持つ。

もう一つ、今度は三人称の小説を例に挙げて考えてみよう。夏目漱石『三四郎』（新潮文庫）である。視点人物の小川三四郎が、同じ福岡から出てきて、東京帝国大学の助手をしている先輩の野々宮宗八を研究室に訪ねた場面である。

> 三四郎は台の上へ腰を掛けて初対面の挨拶をする。それから何分宜敷く願いますと云った。野々宮君は只はあ、はあと云って聞いている。その様子が幾分か汽車の中で水蜜桃を食った男に似ている。一通り口上を述べた三四郎はもう何も云う事がなくなって仕舞った。野々宮君もはあ、はあ云わなくなった。

この「汽車の中で水蜜桃を食った男」とは、のちに作中で「偉大なる暗闇」と呼ばれることになる「広田先生」である。「広田先生」は第一高等学校の英語の教師で、当時としてはほぼ最高の知識人だった。三四郎は偶然上京の汽車の中で「広田先生」と出会っていたのである。ただし、会話を交わして衝撃を受けたが、この時点ではどういう人物かも知らないし、名前も知らない。

ここで、傍線部を読んだ「内包された読者」はどういう仕事をすればいいのだろうか。それは、三四郎は野々宮が「広田先生」に似ていることまでは気づいているものの、二人が「学者」に特有の浮世離れした態度を取る人たちだということまでは気づいていない、ということまでも理解することである。そう読まなければ、三四郎の天然ボケぶりが浮かび上がらないからである。

「内包された読者」は登場人物よりも頭がよくなければならないのだ。もしそうでなければ、たとえば推理小説は読めないだろう。推理小説では刑事はまだ犯人がわからないのに、刑事に寄り添って物語を読んできた「内包された読者」には犯人がわかることがあるのだから。ただし、誰もが同じような「内包された読者」になれるわけではない。「内包された読者」が現実世界の生身の読者とどこかでつながっている以上、現実世界の生身の読者が持っている情報の個人差が「内包された読者」に反映されることは当然だからである。

たとえば『三四郎』にしても、当時の大学生も現在のように二人に一人が進学できる大衆にすぎないと思っている読者と、当時は大学が日本全国にまだたったの二校しかない上に男子だけしか入学できなかったので、大学生は二百数十人に一人しか進学できない超エリート男性だったという知識を持っている読者とでは、三四郎の天然ボケぶりの評価が違ってくるはずだ。この落差は、いくら上手に「内包された読者」になりおおせても決して埋めることはできない。教養のある読者と教養のない読者との落差を埋める技術はない、ということだ。

それに、私たち読者は「内包された読者」になることを常に意識して小説を読んでいるわけではない。そんなことをしていたら、疲れてしまうだろう。「内包された読者」

に任された仕事をほとんど無意識のうちにできるのが、すぐれた読者なのだ。

読書の速度

慣れた読者なら、ほとんど無意識のうちに「内包された読者」になれるかもしれない。しかし、読書は技術としての側面があることはきちんと認識しておきたい。技術だからこそ、読書のすべてではないにせよ、教えることも学ぶこともできるのである。私自身そのことを痛感させられたことがある。『ケータイ小説は文学か』（ちくまプリマー新書、二〇〇八・六）を書いたときのことだ。

ゼミの女子学生に「今度ケータイ小説論を書く」と言ったら、「先生があれを読むんですか」という反応が返ってきた。「えッ？　君たちは読まないの？」と聞き返したら、「あれは高校生までで卒業ですよ」と言われてしまったのである。「先生があんなものを読むなんて……」という無言の視線が冷たかった。私の貧しい知識では、ケータイ小説は地方都市の女子中学生や女子高生が主な読者だそうだが、それにしても「高校生までで」という年齢制限がここまではっきりしているとは思わなかった。しかも女子大生となった彼女たちは、ケータイ小説にまったく敬意を払っていなかった。国語国文学科の学生だからだろうか。

ケータイ小説は「売春、レイプ、妊娠、薬物、不治の病、自殺、真実の愛」（本田透『なぜケータイ小説は売れるのか』ソフトバンク新書、二〇〇八・二）がほぼ必須の「アイテム」となっている。これらが、ジェットコースターのような勢いで次々に起きるのである。中学生や高校生だと、それが「実話」であったかどうかに非常に大きな関心があると言う。ケータイ小説を「実話テイスト」（実話っぽさ）で売る理由もそこにある。しかし、大学生ともなれば、しかも国語国文学科の学生ともなれば、フィクションに感情移入する感性の訓練ができているのだろう。これは技術だと言っていい。こう考えると、文学を読む感性は訓練のたまものではないかと思えてくるのだ。

私自身はケータイを持たない主義なので、ケータイ小説は本でしか読んでいない。先日電車に乗っていたら、前にいたOL風の女性がケータイ小説をケータイで読んでいた。スクロールし続けていて、ほとんど画面を止めないのだ。その時、ケータイでケータイ小説を読む技術も訓練されるものだと知った。私たちは、文学を読む技術も感性も、文化の中で自然に行われる訓練の結果身につけたのである。

こうしたスピード感のある読書も、読書の醍醐味の一つである。しかし、「内包された読者」になることを意識しながら読む読み方があってもいい。ヒリス・ミラーは、こう言っている。

良い読み方には、踊るようなアレグロで素早く読むような読み方だけではなく、ゆっくりと読むこともまた必要である。ヘンリー・ジェイムズが、立派な作家は人生と関わっているのだから、「何一つ見落とさない読者になるように努めよ」と述べたように、良い読者とはテクストのなかに存在する如何なるものも見逃さない読者である。これは、自ら進んで一時停止した不信感をもはや覚えてもいないような、作品に対する不信感を自発的に一時停止する読み方とは、全く逆のことを意味する。それはフリードリッヒ・ニーチェが提唱したレント《ゆっくりと》で読むことを意味している。そのような読者は前後関係に注意深く目を配り、踊るよりも歩く感じで、テクストにだまされないように、鍵となる一語一句で立ちどまる。（前出『文学の読み方』）

これは読書の態度について述べたもので、「スロー・リーディング」の効用を説いているが、小説にも「物語」を楽しむ速度の速い読み方と「言葉」を楽しむ速度の遅い読み方があるということだろう。後者はいわばメタ・レベルの位置に立って、自分を「内包された読者」として調律することを楽しむ読書だと言っていいかもしれない。言うまでもないことだが、私もストーリーを楽しんで読むときと論じようとして読むときとでは、読書の速さはまったく異なる。善し悪しの問題ではなく、読書の速度が読書の質を規定するということだ。

自由に読めるのだろうか

「内包された読者」の仕事は一つに決まっているわけではない。前にイーザーを引用したときに、「文学テクストの読者は自分の読み方を修正しながら読むものだ」と述べた。

これは、イーザーによれば「否定」と呼ばれるもので、読者はテクストを読みながら、絶えず自分の読みの修正、すなわち「否定」を迫られるというのだ。こういう経験は誰にでもあるだろう。その結果、極端に言えば、本を読み終わったときには「新しい自分」に生まれ変わっているというのが、イーザーの思い描く理想の読書である。

そこで、本を読む度に「新しい自分」に生まれ変わるなどというのは夢物語にすぎないと皮肉を言う人や、それでは読書は自由すぎて解釈が無限に許される無法地帯《アナーキー》のようになってしまうと、保守的なことを言ってイーザーを批判する人が出てきた。新しい説が出たときには、よくあるパターンの反応だ。こういう状況を見て、イーザーは振り子を思いっきり反対側に振りすぎたから、少し元に戻そうと考える穏健な論者も出てきた。それがアメリカの英文学研究者スタンリー・フィッシュである。

> 意味の規範的体系による統制がないと、テクストが連れて来る意味（通例、著者の意図と重なる）、テクストが「持つ」意味のかわりに自我が自身の意味を代置するだろうと、彼らは恐れているのだ。しかし、もしも自我が独立した実体ではなく、自我を充たす理解体系によりその活動を制限される社会的構築物であるとすれば、自我がテクストに付与する意味は自我のものではなく、自我がその函数であるところの解釈共同体（または解釈共同体群）に起源があることになる。（『このクラスにテクストはありますか』小林昌夫訳、みすず書房、一九九二・九）

文中の「彼ら」とは「客観的解釈の提唱者」たちを指している。フィッシュによれば、作者の意図通りに読むべきだと主張する彼ら「客観的解釈の提唱者」たちは、読者に自由を与えるとテクストが勝手に読まれてしまうと「恐れている」らしい。私には、テクストを自由に読むことがどうしていけないのかサッパリわからない。そもそも「著者の意図」とは、それこそテクストを自由に読んだ人が、自分の解釈にすぎないものを「これが著者の意図」だと権威主義的に言いつのった結果にすぎない。つまり、「著者の意図」とは文学研究や文芸批評という制度に守られた「お約束」でしかないのである。しかし、フィッシュはそういう頭の固い保守的な権威主義の権化にも一定の理解を示している。

そこで、こう言うのだ。私たちの自我は自由気ままにテクストを読んだりはしない。なぜなら、自我は社会に拘束されているから、実はそんなに自由ではないのだ。自我はまったく自由に宙に浮いているわけではなく、必ずある「解釈共同体」に所属しているから、その「解釈共同体」が許す範囲内での「解釈」しかできないから安心しなさい、と。フィッシュはこれを「限られた複数性」と呼んでいる。たしかに複数の解釈はあり得るけれども、その数は「解釈共同体」ごとに決まっているのでご安心を、というわけだ。

フィッシュの説明にも一定の真理は含まれているかもしれない。と言うのは、「解釈共同体」に寄り添って読むより、まったく自由に読む方がよほど難しいからである。実際、教室で学生と小説を読むと同じような読みばかりになってしまうことが多いし、研究でさえ同じ事ばかり言っていることが多い。これは、国語教育や文学研究がまさに「解釈共同体」として機能していることを如実に示している。この「解釈共同体」こそが内面の共同体の具体的な現れの一つだと言える。

ただし、「解釈共同体」にもその時々のトレンドがあることは指摘しておこう。それが、文学研究ならほぼ十五年周期なのである。

書き手にできる仕事

読者にできる仕事は以上のようなものだ。では、書き手にできる仕事とはどんなものだろうか。小説について考えてみよう。

小説には、何となくではあるけれどもいまでも二つの系統がある。一つは芥川賞を取った作家の書く小説で「純文学」と呼ばれる。もう一つは直木賞を取った作家が書く小説で「大衆小説」とか「通俗小説」とか「中間小説」などと呼ばれ、なぜか一段低く見られている。しかし現実問題としては、直木賞系の小説の方がよく売れているようだ。

こういう二分法はすでに破産したと言われることが多いが、そうでもないらしいことが少し前まで文芸雑誌の編集者をしていた坂本忠雄（名物編集者だった）の言葉を聞けばわかる。ここでは、文芸評論家の斎藤美奈子によるインタビューを参照しよう。斎藤美奈子が「純文学と中間小説を分かつものとは突き詰めるとなんなのでしょうか」と問うと、坂本忠雄はこう答えている。

文学の独自性という性格が明確にありますね。ぼくは現場の編集者としては文学史的に難しくとらず、「純文学は正確さを目ざすものだ」と考えていました。執筆の動機、主題、表現などの課題を、自分のヴィジョンに照らして最も正確に表わす。類型的なものは極力排す。それを「純」という言葉に惑わされて、純粋化を求めるあまり文学を狭く追いこんでいくと考える必要はない、とぼくは思っていますが。中間小説はやはり類型的なんですね。（「文芸誌とは何か、何だったのか」、斎藤美奈子編『21世紀文学の創造4　脱文学と超文学』岩波書店、二〇〇二・四）

「正確」と「類型的」が対句仕立てで語られている。坂本忠雄は、純文学は「正確」でなければならず、中間小説はむしろ「類型的」でなければならないと言うのである。それはどういうものだろうか。

——文章の類型というのは、たとえば？

あるものを表現するのにこの一つの表現でいい、と容認されてしまっている言葉を平気で使うということでしょう。ところが純文学というのはそういうふうに使っ

ちゃいけないんですよ。どういうふうに見たか、という自分の言葉をひねり出さなくちゃいけない。(同前)

実は、私はこの一節を文学理論の授業で、ロシア・フォルマリズムの言う「異化」という概念がいまも文学に生きている例として挙げることにしている。「異化」とは、物事を生き生きと表現し、生き生きと読まれるために、物事がふだんそう呼ばれている呼び方を用いず、過度の描写をするように書くことを言う。「異化」を多用した夏目漱石の『道草』から例を挙げておこう。たとえば、「目の下の隈」と呼べばすむところを、「大きな落ち込んだ彼女の眼の下を薄黒い半円形の暈《かさ》が、怠《だる》そうな皮で物憂《ものう》げに染めていた」と書くのだ。

「異化」はこうした表現によって、読者が意味に到達する速度をなるべく遅くしようと試みる。つまり、「スロー・リーディング」を強いるテクストを作り出すのが「異化」の手法なのである。小説にも「物語」を楽しむテクストと「言葉」を楽しむテクストとがあるということだ。そして、前者が中間小説で、後者が純文学ということになる。だから、中間小説は読者が立ち止まらないように「類型的」な表現を用いなければならないし、純文学は逆に読者を立ち止まらせるために「正確」な表現を用いなければならないのだ。書き手は読者の読む速度を調節できなければならないのである。これが書き手にできる仕事だと言える。

もちろん、こういうことのすべてを「計算」して書けるわけではないだろう。小説家でもない私のような書き手でも、「設計図」もないままにパソコンに向かって書きはじめてしまうことがある。それでも、はじめに書いた言葉が自然に次の言葉を生み出し、それがさらに続くものだ。最後まで書ききったらはじめに戻って全体を調整しなければならないが、読者が無意識に自分を「内包された読者」に「調律」するように、書き手もほとんど書く行為を意識しないで「言葉」に身を任せるときがある。読書も書くことも技術がものを言う。しかし、読者にも書き手にも、自分では「計算」しつくせない何かがあることは認めなければならないようだ。

第六章　語り手という代理人

「小娘」をめぐる物語

芥川龍之介に『蜜柑』（大正八年五月）という四百字詰め原稿用紙十枚ほどのごく短い小品がある。この小説とも随筆ともつかないような小品について、二つのことを考えてみたい。一つは、内面の共同体は時代を超えて伝染するということ。もう一つは、語り手の役割についてである。

『蜜柑』は、輪郭が非常にはっきりした単純な構成の物語からなる。ごく短く要約すれば、「人生に退屈しか感じていない「私」が、汽車に乗り合わせた少女が示した弟たちへの情愛を見て、わずかな感動を覚える物語」とでもなるだろう。こうしてまとめてしまえばあまりにもありふれた物語かもしれないが、小説テクストはむしろ細部に面白さがある。そして多くの場合、細部が問題を孕んでいる。それに『蜜柑』は国語教科書に採録されていたこともあって、さまざまな角度から多くの論文が書かれている。

まずは物語の構成を具体的な表現に即して確認しておこう。

「私」ががらんとした横須賀線の上り列車に乗って、発車を待っていたところから物語ははじまる。

或《ある》曇った冬の日暮である。私《わたくし》は横須賀《よこすか》発上り二等客車の隅《すみ》に腰を下して、ぼんやり発車の笛を待っていた。とうに電燈のついた客車の中には、珍らしく私の外に一人も乗客はいなかった。外を覗《のぞ》くと、うす暗いプラットホームにも、今日は珍しく見送りの人影さえ跡を絶って、唯《ただ》、檻《おり》に入れられた小犬が一匹、時々悲しそうに、吠《ほ》え立てていた。これらはその時の私の心もちと、不思議な位似つかわしい景色だった。私の頭の中には云いようのない疲労と倦怠《けんたい》とが、まるで雪曇りの空のようなどんよりした影を落していた。私は外套《がいとう》のポケットへじっと両手をつっこんだまま、そこにはいっている夕刊を出して見ようと云う元気さえ起らなかった。（新潮文庫）

第五章で『人間失格』について論じたのとほぼ同じ例が、傍線部である。「元気さえ起らなかった」のだから、「語られた昔の私」には、「夕刊を出して見よう」という気持ちさえなかったのかもしれない。これは、「内包された読者」の位置＝「語っているいまの私」の位置に立って読んだときにのみ、理解できる一節である。このことは、またあとで問題にしよう。

さて、そこへ、一人の少女が乗り込んできた。「私」は少女の顔を「一瞥」した。「私」には少女が次のように見えた。

それは油気のない髪をひっつめの銀杏返《いちょうがえ》しに結って、横なでの痕《あと》のある皸《ひび》だらけの両頬《ほお》を気持の悪い程赤く火照《ほて》らせた、如何《いか》にも田舎者《いなかもの》らしい娘だった。しかも垢《あか》じみた萌黄《もえぎ》色《いろ》の毛糸の襟巻《えりまき》がだらりと垂れ下った膝《ひざ》の上には、大きな風呂敷包みがあった。その又包みを抱いた霜焼けの手の中には、三等の赤切符が大事そうにしっかり握られていた。私はこの小娘の下品な顔だちを好まなかった。それから彼女の服装が不潔なのもやはり不快だった。最後にその二等と三等との区別さえも弁《わきま》えない愚鈍な心が腹立たしかった。

「一瞥」にしてはやけに詳しすぎると、研究史でも指摘されている場面である。しかしこの記述がなければ、その後の少しばかりの感動的な場面が生きてこない。こう書けば、もうこの物語の「落ち」は見えたも同然だろう。

この後、「私」は「小娘」を避けるように夕刊に目を移した。しかし、「私」にとってはつまらない記事ばかりである。

この隧道《トンネル》の中の汽車と、この田舎者の小娘と、そうして又この平凡な記事に埋《うずま》っている夕刊と、——これが象徴でなくて何であろう。不可解な、下等な、退屈な人生の象徴でなくて何であろう。

「私」は自分が乗っている汽車も、目の前の「小娘」も、自分を取り巻く社会について書いた夕刊も、すべて「不可解な、下等な、退屈な人生の象徴」だと思っている。それほど「私」の心は屈託している。そこへ、トンネルに差しかかって汽車の煙が車内に流れ込むというのに、「小娘」が無理矢理窓を開けてしまう。「私」は「小娘」を「頭ごなしに叱り」つけようとまでしたが、幸いすぐにきれいな空気が流れ込んできた。その時、沿道に三人の男の子が「目白押しに並んで立っている」のが見えた。

するとその瞬間である。窓から半身を乗り出していた例の娘が、あの霜焼けの手をつとのばして、勢《いきおい》よく左右に振ったと思うと、忽《たちま》ち心を躍《おど》らすばかり暖な日の色に染まっている蜜柑が凡《およ》そ五つ六つ、汽車を見送った子供たちの上へばらばらと空から降って来た。私は思わず息を呑《の》んだ。そうして刹《せつ》那《な》に一切《いっさい》を了解した。小娘は、恐らくはこれから奉公先へ赴《おもむ》こうとしている小娘は、その懐《ふところ》に蔵していた幾顆《いくか》の蜜柑を窓から投げて、わざわざ踏切りまで見送りに来た弟たちの労に報いたのである。

最後は、こうなっている。

私はこの時始めて、云いようのない疲労と倦怠とを、そうして又不可解な、下等な、退屈な人生を僅《わずか》に忘れる事が出来たのである。

「小娘」の行為が「私」にわずかな救いを与えて、この物語は締めくくられる。みごとな構成だが、この「僅に忘れる事が出来た」というややシニカルな結びが、このとき「私」に訪れた救いが根本的なものではなかったことを示している。それでもそれをわざわざ書いたことに、このわずかな救いにさえすがろうとする「私」の切ない思いが現れているとも言える。「私」はそれほど「疲労」し、「倦怠」しているのである。――『蜜柑』は、特に国語教育での『蜜柑』はこんな風に読まれてきた。

伝染する憂鬱

多くの『蜜柑』論の中でも異彩を放っているのが、平岡敏夫「〈日暮れ〉からはじまる物語」である。もう四十年も前の論文だが、芥川龍之介の小説に「日暮れからはじまる物語」が多いことを指摘した画期的な論文だった。その後平岡敏夫は、芥川龍之介だけではなく、古典を含めた多くの文学テクストが日暮れ・夕暮れを好んで書いたことを豊富な実例によって示して、四百ページ近い本にまとめた（『〈夕暮れ〉の文学史』おうふう、二〇〇四・一〇）。ただし、夕暮れからはじまる物語が多い意味についてはそれほど深く論じていない。

芥川龍之介と言えば『羅生門』だが、その冒頭もこうはじまるのだった。「ある日の暮れ方のことである。一人の下人が、羅生門の下で雨やみを待っていた」と。これは

『蜜柑』の冒頭、「或曇《ある》った冬の日暮である。私《わたくし》は横須賀《よこすか》発上り二等客車の隅《すみ》に腰を下して、ぼんやり発車の笛を待っていた」と酷似している。こういう設定から、平岡敏夫は、芥川龍之介の「絶望の声」や「痛ましい努力」を読む。それはそれでいいが、基本的に作家とテクストとを切り離して読むテクスト論の立場を採る私は、平岡敏夫論文に導かれながらも、平岡敏夫とは違った読み方をしたいと思う。

近代になったある時期から、憂鬱という気分が文学のメインテーマとなった。具体的には大正時代の半ば以降である。しかし、その源泉は明治三十六年五月に藤村操が華厳の滝へ投身自殺した事件にまで遡ることができそうだ。藤村操の自殺は「現代青年の苦悶」として捉えられた。厭世観によるものだという理解である。当時「厭世観」とか「倦怠」という気分は、日本の文壇をも広く覆っていた。しかも、その気分はより多く輸入品とでも言うべき性質を持っていた。

ここで近代文学史をざっとおさらいしておこう。

ヨーロッパではロマン主義のあとに自然主義がくるが、日本ではその自然主義の時代に明治維新となったので、明治二十年頃にヨーロッパの進んだ文学理論として自然主義が紹介され、その後に浪漫主義がやってきた。ヨーロッパとは、順序が逆になったのである。

しかも、日本では明治四十年頃になって、ようやく自然主義の理論と技術とを生かした小説が書かれるようになった。結果として〈自然主義―浪漫主義―自然主義〉というサンドイッチ型になった。理論の輸入から実践まで二十年ほどかかったことになる。そしてその自然主義が、『スバル』（谷崎潤一郎たち）、『白樺』（志賀直哉たち）、『新思潮』（芥川龍之介たち）といった反自然主義の立場を掲げた文芸雑誌によって激しい攻撃を受けた後に、大正文学が始まったのである。

大正元年は一九一二年。大正文学においてもヨーロッパの文学との時差が起きていた。「パンの会」という文芸運動の会が、明治四十一年から明治四十四年まで隅田川をパリのセーヌ川に見立てて会合を開き、すでに退廃的な芸術を輸入してはいたが、それが定着したのは大正時代に入ってからである。ヨーロッパの文学の世紀末的な倦怠の気分が、日本の文学において、日常的な生活を書く小説表現としてもごく自然に書かれるようになったのである。

もちろん、作家の資質ということもある。谷崎潤一郎がそうだった。たとえば、明治四十四年に発表された『秘密』という短編には、次のような一節があった。「その頃私は或《あ》る気紛《きまぐ》れな考《かんが》えから、今迄《いままで》自分の身のまわりを裹《つつ》んで居た賑《にぎ》やかな雰囲気《ふんいき》を遠ざかって、いろいろの関係で交際を続けて居た男や女の圏内から、ひそかに逃れ出ようと」思って、浅草の真言宗の寺の一室に仮住まいをはじめるのだが、それは次のような理由によるのだと言うのだ。

隠遁をした目的は、別段勉強をする為めではない。その頃私の神経は、刃の擦《す》り切

> れたやすりのように、鋭敏な角々がすっかり鈍って、余程色彩の濃い、あくどい物に出逢わなければ、何の感興も湧《わ》かなかった。微細な感受性の働きを要求する一流の芸術だとか、一流の料理だとかを翫味《がんみ》するのが、不可能になっていた。下町の粋《いき》と云われる茶屋の板前に感心して見たり、仁左衛門《にざえもん》や鴈治郎《がんじろう》の技巧を賞美したり、凡《す》べて在り来たりの都会の歓楽を受け入れるには、あまり心が荒《すさ》んでいた。惰力の為めに面白くもない懶惰《らんだ》な生活を、毎日々々繰り返して居るのが、堪えられなくなって、全然旧套《きゅうとう》を擺脱《はいだつ》した、物好きな、アーティフィシャルな、Mode of life を見《み》出《いだ》して見たかったのである。（新潮文庫）

『秘密』の「私」は、まさに世紀末的な倦怠という気分を生きている。この「私」がヨーロッパの文学にドップリつかる生活を送るのも、決して偶然ではない。

藤村操の自殺の理由は、夏目漱石『それから』（明治四十二年）の主人公長井代助の「ニルアドミラリ」と通じるところがあると、磯田光一は指摘している（『近代の感情革命』新潮社、一九八七・六）。「ニルアドミラリ」とは虚無的な感情のことで、明治期には知識人の退廃的な気分を表す言葉としてよく使われた。『それから』から、代助の気分を説明している一節を引こう。

> 二十世紀の日本に生息する彼は、三十になるか、ならないのに既に nil admirari《ニル アドミラリ》

の域に達してしまった。彼の思想は、人間の暗黒面に出逢って喫驚《びっくり》する程の山出《やまだし》ではなかった。彼の神経は斯様《かよう》に陳腐な秘密を嗅《か》いで嬉しがるように退屈を感じてはいなかった。否、これより幾倍か快よい刺激でさえ、感受するを甘んぜざる位、一面から云えば、困憊《こんぱい》していた。(新潮文庫)

谷崎潤一郎『秘密』とほぼ同じ時期である。この気分がはっきりと形となって現れたのが、佐藤春夫『田園の憂鬱』(大正七年九月)である。最近になって、『田園の憂鬱』論とも言える菅野昭正『憂鬱の文学史』(新潮社、二〇〇九・二)も書かれた。『田園の憂鬱』では、都会の生活に疲れた男が田園に住み、時に薔薇《そうび》を熱心に育てるが、その花はすべて腐っていた。有名な、最後の一節を引用しておこう。

彼はランプへ火をともそうと、マッチをする、ぱっと、手元が明るくなった刹那に、

「おお、薔薇、汝病めり!」

彼はランプの心へマッチを持って行くことを忘れて、その声に耳を傾ける。マッチの細い軸が燃えつくすと、いったん赤い筋になって、すぐと味けなく消えうせる。黒くなったマッチの頭が、ぽつりと畳へ落ちて行く。この家の空気は陰気になって、しめっぽくなって、腐ってしまって、ランプへ火がともらなくなったのではあるま

いか。彼は再びマッチをする。

「おお、薔薇、汝病めり！」

　何本すっても、何本すっても、

「おお、薔薇、汝病めり！」

その声はいったいどこから来るのだろう。天啓であろうか。預言であろうか。ともかくも、言葉が彼を追っかける。どこまでもどこまでも……（岩波文庫）

サブタイトルは「あるいは病める薔薇《そうび》」だが、もちろんこの病んだ薔薇は「彼」の病んだ精神の象徴である。『蜜柑』は『田園の憂鬱』の翌年に発表されている。

さらにこの気分の連係プレーは続いて、あまりにも有名な梶井基次郎『檸檬』（大正十四年一月）に受け継がれる。冒頭を引こう。

　えたいの知れない不吉な塊《かたまり》が私の心を始終圧《おさ》えつけていた。焦燥と云おうか、嫌悪と云おうか――酒を飲んだあとに宿酔《ふつかよい》があるように、酒を毎日飲んでいると宿酔に相当した時期がやって来る。それが来たのだ。（新潮文庫）

『檸檬』も憂鬱の系列に加えることができる。『秘密』を受けた江戸川乱歩『屋根裏の散歩者』も大正十四年である。それは、こんな風に書き出されていた。

多分それは一種の精神病ででもあったのでしょう。郷田三郎は、どんな遊びも、どんな職業も、何をやってみても、いっこうこの世が面白《おもしろ》くないのでした。（新潮文庫）

郷田三郎が『秘密』の「私」の末裔であることは、明らかだろう。こういう記述なら、この時期の文学からほかにいくらでも拾い出すことができる。世紀末の倦怠という気分は、大正期の文学を彩っていたのである。ただし「パンの会」一つ取ってみても、そうした気分がいわば輸入品だったことは疑いようのない事実だった。つまり、倦怠という気分はエキゾチズムの産物だったのである。

『蜜柑』はこうした「伝染病としての憂鬱」の系列の中にあり、大正期半ば以降の大流行の先駆けでもあった。だから、「私」の憂鬱は「私」個人の気分であると同時に、時代の気分と言ってよかった。これはまさに内面の共同体が時代を超えて伝染した例だと言っていい。憂鬱という内面のパラダイムが形成されていたのだ。

気分とは何か

ここまで気分という言葉を説明もせずに使ってきたが、そもそも気分とはどういうものだろうか。実は、気分について研究したドイツの哲学者がいる。オットー・フリードリッヒ・ボルノウ『気分の本質』（藤縄千艸訳、筑摩叢書、一九七三・五）である。ボルノウは「気分は、人間の最低の領域から最高の領域までを、全体的に一様に貫徹する根本的な状態を示すのであって、それは、その人間の活動全体に一定の固有の色あいを与えるもの」だと言う。つまり、人間は気分に支配されてしまうというわけだ。

気分は感情とは異なっているとも言う。ボルノウによれば、感情とは常に「何かについて」という具合に、具体的に方向付けられ、具体的な対象を持っている。たとえば、「あらゆる喜びは、なにかについての喜び」なのである。それに対して、「気分は決して一定の対象を持たない。気分は人間存在全体の状態のようなもの」である。

したがって、感情はその具体的な対象がなくなれば、解消する。憎しみはその対象と和解すれば消えるし、喜びはその対象を失えば消える。しかし、気分はそうではない。具体的な対象を名指すことができないから、解消することはない。いつまでも人を捉えてはなさない。具体的な対象を持たないだけに、気分は時間的にも空間的にも厚みをもって人々を捉えるのである。ある時代がある気分を共有してしまうのも、気分のこういう性質によっている。

評論家の山崎正和は、ボルノウを踏まえて、ある時代の気分の歴史を書いたことがある。それはこう始まっていた。「ひとつの名状しがたい未知の気分が、そのころ、やうやく生まれたばかりの日本の中産知識階級の家庭を侵し始めてゐた」（『不機嫌の時代』新潮社、一九七六・九）と。「その頃」とは、明治の終わりを指している。この本の中で、山崎正和はその気分を「不機嫌」と呼んだ。この時代を覆っていた倦怠という気分が、家庭の中では不機嫌という気分に姿を変えて現れていたのかもしれない。

実は、芥川龍之介は大正五年十二月から大正八年三月まで、作家として自立できないために、生活上の必要から横須賀海軍機関学校の英語教官として勤務していた。教職に就きながらも、気持ちとしては創作活動に専念したかったので、芥川龍之介の悩みは大きかった。『蜜柑』はそのときに体験したエピソードが元になっていることがわかっている。だから、芥川龍之介個人の気分が反映された小品と読むことは、むしろ自然なことなのである。しかし、そういう芥川龍之介個人の気分に還元する読み方と時代の気分として読む読み方は、決して矛盾するものではない。

また、高橋龍夫は、冒頭に書き込まれた「横須賀」という地名が当時「日本随一の軍要港としての海軍の拠点」を暗示していて、それによって近代の行く末を見てしまった「私」の憂鬱な気分を説明できると言う（「芥川龍之介『蜜柑』」『東京学芸大学附属高等学校紀要』31集、一九九四・三）。

芥川龍之介個人に関する情報、憂鬱の伝染という文学的な気分の系列、横須賀という固有名詞がもつコノテーション（暗示的な意味）。これらのいずれによっても『蜜柑』を支配する気分を説明することができるのである。そのどれを選ぶかは、読者がどういう枠組で『蜜柑』を説明しようとするかによって決めればいい。私は二番目をベースとしながら、小品の言葉から引き出せる三番目の説明の仕方を最も重視したい。

ボックスシートかロングシートか

『蜜柑』の研究史では、一見些細なことだが、その実重要な問題を孕んだ問題提起があった。それは、「私」が乗っていた横須賀線の汽車の座席はボックスシートかロングシートかという問題である。どうやら、長い間「私」が乗っていた横須賀線の汽車はボックスシートだったように読まれていたようだ。実は、私もそう読んでいた。しかし、当時の横須賀線の車両まで調べ上げて、平行ロングシートだったと結論した考証が発表された（鵜生川清「芥川龍之介『蜜柑』論」『国語通信』二八五号、一九八六・五）。

これは『蜜柑』の「後《うしろ》の窓枠《まどわく》へ頭をもたせて」という記述を読めばまちがえるはずはないのだが、高橋大助が実際に高校生に調査を行ったところ、はじめて読む段階では三分の二ほどの生徒がボックスシートと答えたと言う。その結果から、高橋大助は興味深い結論を導き出す。それは、仮にこの横須賀線がボックスシートだとすれば、がらんとした車内なのにわざわざ「私」のいるボックスまでやって来て「私」の向かいの席に座り、しかも窓を開けるために「私」の隣に座り直した「小娘」が、いかにも「田舎者」で非常識に見えるからだと言うのだ（「象徴としての蜜柑、身体としての蜜柑」『國學院雑誌』第九十二巻第十号、一九九一・一〇）。

この「小娘」を「田舎者」で非常識と見る「私」の見方を、読者が根拠もなく（あるいは、まちがった「根拠」によって）共有してしまっているのである。この時点での

「小娘」が非常識であればあるほど、結末における「小娘」の行為は感動的になるだろうから、ここには「私」と読者との共犯関係があると言うことができる。しかし、事実がそうであるように、ロングシートであれば「小娘」の行為は特に不自然とは言えない。はじめ踏み切り側でない方に座ってしまったので、窓を開けるために踏み切り側に席を移しただけだからである。

さらに言えば、読者は「小娘」について誤読した上で、「小娘」の非常識さを「私」と共有してしまっていることになる。と言うことは、実は私のような不注意な読者は、「私」をも誤読していることになる。「私」は「小娘」がロングシートの向こうからこちら側へ移ってきただけで、これだけの嫌悪感を示す人物なのである。それを、こともあろうにボックスシートの向かい側から「私」の隣へと席を移動するような非常識な行動を取ったから、「私」が嫌悪感を示しても仕方がないと、根拠もなく（繰り返すが、あるいはまちがった「根拠」によって）「私」を少しでもまともな感覚の持ち主に仕立て上げていたのだ。

「ボックスシートかロングシートか」。たったこれだけの問いが、「小娘」を非常識な人物と見る読者の先入観を炙り出しにしてしまったのだ。あるいは、「私」をまともな知識人と見る先入観を炙り出しにしてしまったのだ。この読者の先入観が、「私」の語りの力によって作り出されていることは重要である。語り方を信じたからこそ、読者は「私」と共犯関係を結んでしまったからである。次は、この点について考えてみよう。

語り手という存在＝概念

イーザーの言う「内包された読者」は、テクストに構造的に組み込まれた分析概念だった。改めて確認すれば、実在の私たち読者とつながってはいるが、実在の読者そのものではなく、実在の読者がテクストに対して取るべき態度とでも言うべきものだった。実際に「内包された読者」が小説テクストに対してどのように機能するのかは、第四章でいくつかの小説テクストの分析を試みてみた。

　では、小説テクストに組み込まれて、現実には実在しない「内包された読者」は誰の声を聞いているのだろうか。その人物を、仮に小説テクストをはさんで「内包された読者」と対称的な位置に存在すると考えれば「内包された作者」となる。これは小説テクストから浮かび上がってくる実在しない作者像のようなものである。小説テクストを読んで読者が「作者の意図がわかった」と思ったときの「作者」がこの「内包された作者」に当たる。繰り返すが、「内包された作者」は小説テクストから構成された概念である。実在してはいない。「内包された作者」は「内包された読者」によってつくられた「存在＝概念」なのだ。幻なのである。したがって、「内包された作者」は「内包された読者」に語りかけない。

　文学理論では、テクストを読んでいる〈いま・ここ〉で読者に語っている、声もなく姿も見えない主体を「語り手」と呼ぶ。あえて言えば、「語り手」は「内包された読者」

と「内包された作者」との間に「存在」して、両者を結びつける役割を果たす。しかし、「語り手」を機能させているのは「内包された作者」ではない。繰り返すが、「内包された作者」は「内包された読者」がつくりだした幻にすぎないからである。「語り手」を機能させているのは「内包された読者」だ。このことについて考えてみたい。

オングは、語り手についてこう言っている。

語り手は、テクストのなかではまったくそとに現れず、登場人物の声の背後に身を隠している。すでに見たように、声の文化における語り手は、挿話のよせあつめという型で物語を演じるのがふつうだったし、それが自然でもあった。したがって、語り手の声を消すことは、話のすじからそうした挿話のよせあつめという型を除き去るために、まず最初にやらなければならないことだったように思われる。（前出『声の文化と文字の文化』）

「声」による話の統合は、私たちもよく経験することだ。実際に語ったことを文字に起こしてみると、印象がまったく違うことがある。耳で聞いたときには話に道筋がきちんとついているように感じたのに、目でそれを追うとバラバラに思える、そんな体験である。語る、そしてそれを聞く時間の経過が、あたかも話の内容に因果関係や論理があったかのような錯覚を与えるのである。これが「挿話のよせあつめ」でも十分に聞くに堪えた「声の文化における語り手」の役割だった。しかし、「文字の文化」においては「挿話のよせあつめ」は「挿話のよせあつめ」としか読まれず、魅力を持てなかった。そこで、挿話同士が因果関係を持っているように配置するために、つまりプロットを導入するために、姿も見えず声も聞こえない語り手を設定する必要があったというのだ。ただし、このプロットについては注意すべき点がある。

哲学者の黒崎宏は、因果関係は任意に設定されると論じている。たとえば、地震で家が倒壊した。ところが、その原因は一つには決められないと言うのだ。家が倒壊した原因は「地震のため」と答えることもできるし、「家の造りが弱かったから」と答えることもできるし、あるいは「地球に重力があったから」と答えることさえできるはずなのだ。すなわち「「原因」として何を挙げるかは、**客観的**に決まっている訳ではない、という事を物語っている。「原因」として何を挙げるかは、基本的には、それに係わる**人間の問題意識**に依存するのである」（ゴチック体原文、『ウィトゲンシュタインから道元へ』哲学書房、二〇〇三・三）。

したがって、何を「原因」として挙げるかは好みの問題になる。それを真っ当な「原因」だと判断するかどうかは、まさに読者の側の問題なのだ。小説に限らず、「リアリティー」を支える読者の好みは時代や地域によって違うものである。小説ならば、そこに挙げられた「原因」がリアリティーを持つか否かは、その小説を読む読者の判断に委ねられるのである。プロットがプロットとして認識されるか否かは、読者が属している時代や地域に左右されるということだ。

作中人物と語り手

ここで、ジェラール・ジュネット『物語のディスクール』（花輪光・和泉涼一訳、書肆風の薔薇、一九八五・九）を使ってみたい。ジュネットは語り手と作中人物との関係を、その情報量の違いとして説明した。それは大きく二通りある。一つは、語り手が自己顕示的に語っている場合である。もう一つは、これとは反対に語り手がまるでそこに存在しないかのように語っている場合である。これは、文学理論の用語では「語ること（telling）」と「示すこと（showing）」に相当する。

ジュネットは、〈情報＋情報提供者＝一定〉としている。これに従えば、語り手が自己顕示的に振る舞う「語ること」は〈最小限の情報＋最大限の情報提供者〉、語り手が姿を隠す「示すこと」は〈最大限の情報＋最小限の情報提供者〉と公式化できることになる。

さらにジュネットは、語り手と作中人物との関係を、次のように示している。

第一は、語り手がどの作中人物が知っているよりも多くのことを語る場合で、《語り手＞作中人物》と公式化される。視点という言葉を使えば、いわゆる全知視点である。

第二は、語り手はある作中人物が知っていることしか語らない場合で、《語り手＝作中人物》と公式化される。ある特定の作中人物の視点から語る場合である。一人称小説はその典型だ。

第三は、語り手が作中人物が知っていることよりも少なくしか語らない場合で、《語り手＜作中人物》と公式化される。語り手が作中人物より情報量が少ないという事態は一見奇妙に見えるかもしれないが、この手法を採用しなければ成立しないジャンルがある。ミステリーである。ミステリーでは当然のことながら作中人物である犯人は自分が犯人だと知っているが、語り手はあたかもそれを知らないかのように語らなければならないからである。

こうした図式を参照すると、『蜜柑』は明らかに第二の《語り手＝作中人物》のパターンだとわかる。つまり、一人称小説であって、語り手は「私」と一致しているから、語り手は「私」とまったく同じ情報しかもっていないわけだ。しかし、そうだろうか。実は、たとえ一人称小説であっても、語り手が「私」よりも情報量が多い場合がある。つまり、語り手が「私」の外側にいることがあるということだ。

「私」は語り手なのか

『蜜柑』の場合、それはたとえば直喩に表れている。芥川龍之介が直喩を好んで用いた作家であることは有名だが、『蜜柑』も例外ではない。次に引用する文を見てみよう。

私の頭の中には云いようのない疲労と倦怠とが、まるで雪曇りの空のようなどんよりした影を落していた。

傍線部分に注意してみよう。このとき物語の現在を生きている「私」の「頭の中」に、「まるで雪曇りの空のような」という直喩が浮かんでいたのだろうか。それはまずあり得ないだろう。これは語り手が「私」の「疲労と倦怠」を表すために「私」の思考していないことを付け加えた直喩だろう。つまり、これは「「私」が「私」の視点から語っている文」ではない。「語り手が語り手の視点から語っている文」なのだ。だから、「私」の「頭の中」にはない直喩というよけいな修飾が用いられているのである。だとすれば、先のジュネットの公式に従えば、この文は《語り手＞作中人物》となるだろう。確認しておけば、このように「視点」という概念を使うとまちがいが起きやすいので、ジュネットは情報量の違いで語り手と作品人物との関係を公式化したのだ。

以下に、『蜜柑』で用いられているすべての直喩と直喩に相当する表現を挙げておこう。

私は一切がくだらなくなって、読みかけた夕刊を抛《ほう》り出すと、又窓枠に頭を靠《もた》せながら、死んだように眼をつぶって、うつらうつらし始めた。

だから私は腹の底に依然として険しい感情を蓄《たくわ》えながら、あの霜焼けの手が硝子戸を擡《もた》げようとして悪戦苦闘する容子《ようす》を、まるでそれが永久に成功しない事でも祈るような冷酷な眼で眺《なが》めていた。

暮色を帯びた町はずれの踏切りと、小鳥のように声を挙げた三人の子供たちと、そうしてその上に乱落《らんらく》する鮮《あざやか》な蜜柑の色と――すべては汽車の窓の外に、瞬《また》く暇もなく通り過ぎた。

煩をいとわず引用したのは、語り手が「私」の外にいることを明らかにしようと考えたからである。繰り返すが、これらの直喩かそれに相当する表現は、「私の頭の中」にはないことを語っている。つまり、一人称小説であるにもかかわらず、《語り手＝作中人物》ではなく、《語り手＞作中人物》となっていて、「私」よりも語り手の方が情報量が多いことになる。（付け加えれば、これらの文からは共通する性質が見いだせないので、構造化はできない。つまり、「私」の「疲労」と「倦怠」はある一定の方向性を持ってはいないということだ。構造分析は複数の対象から何らかの共通する性質を見いだすことからはじまるが、これは構造分析ができそうにないのである。）

もう一種類、別の例を挙げよう。「のである」と終わる文だ。論説文であれば「のである」という文末表現は不自然ではない。しかし小説の場合は、「のである」という文末表現は語り手が読者に向けて説明している感じが強く出る。《語り手∨作中人物》という感覚を読者に強く与えるのである。『蜜柑』から「のである」という文末表現が使われている文をすべて挙げておこう。

云うまでもなく汽車は今、横須賀線に多い隧道《トンネル》の最初のそれへはいったのである。

その姿を煤煙と電燈の光との中に眺めた時、もう窓の外が見る見る明るくなって、そこから土の匂《におい》や枯草の匂や水の匂が冷《ひやや》かに流れこんで来なかったなら、漸《ようや》く咳きやんだ私は、この見知らない小娘を頭ごなしに叱りつけてでも、又元の通り窓の戸をしめさせたのに相違なかったのである。

小娘は、恐らくはこれから奉公先へ赴《おもむ》こうとしている小娘は、その懐《ふところ》に蔵していた幾顆《いくか》の蜜柑を窓から投げて、わざわざ踏切りまで見送りに来た弟たちの労に報いたのである。

私はこの時始めて、云いようのない疲労と倦怠とを、そうして又不可解な、下等な、退屈な人生を僅《わずか》に忘れる事が出来たのである。

語り手は何か特別に説明する必要を感じて「のである」という文末表現を用いた。——と言った説明の仕方は語り手を実体化する（実際に「存在」するように扱う）ので、望ましい説明の仕方ではない。「のである」という文末表現から、読者は語り手が何か特別に説明する必要を感じたことを読み取るのである。——こういう説明でいい。

いずれにせよ、はじめの例は「云うまでもなく」とあるから「のである」と受けなければ座りが悪いが、それ以外の三例は特に「のである」を必要としない。むしろ「のである」がない方が簡潔でいいくらいである。それでも、「のである」という文末表現を使ってでも、それぞれの文で何かを過剰に説明したかったのだ。そして、そのことによって語り手が顕在化することになる。

語り手は読者である

最後のもっとも重要な一節を引用しておこう。

私は昂然《こうぜん》と頭を挙げて、まるで別人を見るようにあの小娘を注視した。小娘は何時かもう私の前の席に返って、相不変皸《あいかわらずひび》だらけの頬を萌黄色の毛糸の襟巻に埋めながら、大きな風呂敷包みを抱《かか》えた手に、しっかりと三等切符を握っている。……………

……………

ここは研究史でも論点となるところで、「私」には「小娘」が「別人」に見えたのか(それまで見知っていた「小娘」と違って、いわば見知らぬ他者に見えたという意味合いである)、それとも「別人」を見るように見たが結局ははじめと同じにしか見えなかったのか、どちらだろうかというのである。しかし、傍線部に注意する限り答えは一つしかない。「まるで別人を見るように」見たが、「小娘」はなにも変わっていなかったのである。「別人を見るように」とある以上、「別人」ではないと解釈するのが論理的帰結だからである。

では、「私」の受けた感動は幻だったのだろうか。そうではない。不愉快な気分を起こさせたほかならぬあの「小娘」が、まちがいなく「私」に感動を与えたのだ。長いリーダ「……………」は、言葉にできないようなその驚きを物語っている。その新鮮な驚きを、「私」の外にいる語り手の「まるで別人を見るように」という表現が支えていたのである。

最後に、これも研究史でたびたび指摘される決定的な表現を引いておこう。

> するとその瞬間である。窓から半身を乗り出していた例の娘が、あの霜焼けの手をつとのばして、勢《いきおい》よく左右に振ったと思うと、忽《たちま》ち心を躍《おど》らすばかり暖な日の色に染まっている蜜柑が凡《およ》そ五つ六つ、汽車を見送った子供たちの上へばらばらと空から降って来た。

たとえ誰がなんと言おうと、「空から降って来た」はおかしい。せめて「空から降った」でなければヘンだ。このとき、「私」の外にいた語り手は「子供」に同化してしまった。もともと直喩を通して「私」から自由に振る舞っていた語り手が、ついに羽目を外してしまったのである。したがって、結論はこうなるはずだ。「私」は「云いようのない疲労と倦怠とを、そうして又不可解な、下等な、退屈な人生を僅に忘れることが出来た」だけだったが、語り手はそうではなかった、と。語り手は「私」よりももっと大きな感動を受けたのだ。だから、「私」の外に出てこの物語を語らずにはいられなかったのである。だとすれば、読者が共犯関係を結んだのは、「私」とではなく、語り手とだったのである。

ここであり得べき誤解に答えておこう。その誤解とは、「この小品は「私」が書いたものではないのか。つまり、「私」とは作者ではないのか」というものだ。もっともな意見だが、もしそう考えると、一人称小説では作者の外に（「作者の上に」と言うべきか）語り手が位置してしまうことになる。つまり、語り手が実在の「作者」を超えて、実在の「作者」の知らないことまでも自由に語っていることになってしまうのだ。これはおかしい。たとえ一人称小説であっても原理的に〈作者／語り手／「私」〉という階層は動かない。〈作者＝「私」〉ではないのである。

それならばいっそのこと〈語り手＝作者〉と考えてみたらどうだろうか。これならばいま指摘した矛盾はいっきに解決する。実は、書く側の論理からすればこれでかまわないのだ。しかし、こう考えてしまうと「読者」が小説テクストの中に占める位置を失ってしまうのである。読者は作者から小説を受け取っただけになる。そうなれば、小説はメッセージの道具としての意味しか持たなくなるだろう。旧来の作家論パラダイムである。だから、〈作者＝語り手〉とするとそこで自由な解釈が止まってしまう。つまり、『蜜柑』は小説ではなくなってしまう。この図式を受け入れるか否かはイデオロギーの問題だろう。

　この問題を解決する方法は、一つしかない。この小品のように「私」が書いたという記述（「証拠」や「痕跡」）がない以上、やはり語り手という概念を使って説明するのである。すなわち、先の〈作者／語り手／「私」〉という図式における「作者」を「語る「私」」に置き換え、「私」を「語られる「私」」に置き換えることだ。つまり、「語る「私」」と「語られる「私」」とのあいだにあるはずの時間差を利用して説明するのである。先の図式は〈「語る「私」」／語り手／「語られる「私」」〉となる。「語る「私」」は現在にあって、読者が小説テクストを読む時間を共有している。ところが、「語られる「私」」は原理的に「過去の「私」」なのだから、そこに時差が生じるわけである。これをごく平たく言えば、いまの「私」が過去の「私」について語っているのが一人称小説だということだ。これはあくまで時差の問題であって、語り手という概念を作者として実体化することではない。

ここでヒリス・ミラーが文学と「自己」とが深いかかわりを持っていると述べていたことを思い出しておいてもいい。なぜなら、これは自我の構造とよく似ているからである。自我は「主体としての自己＝I」と「客体としての自己＝Me」とからなる。「語る「私」」は「主体としての自己＝I」に重ねることができ、「語られる「私」」は「客体としての自己＝Me」に重ねることができる。つまり、自我は「I」と「Me」という二人の自己からできあがっているのである。一人称で語ること（あるいは、書くこと）は、この自我の構造に時間を組み込み、「I」を「いまの「私」」、「Me」を「過去の「私」」とすることなのだ。そうだとすれば、この場合の小説の構造としての全体性＝「全体像《ゲシュタルト》」とは、まちがいなく「私」の内面＝自我のことだと言える。

自我について触れたところで、当然語る主体は誰かという問題が起こる以上、主体についても触れておこう。私たちは言語という海の中に生み落とされる。はじめは了解不可能なその言語という他者を理解し、内面化することが、私たちを社会的な存在にする。上野千鶴子は、フランスの精神分析医ジャック・ラカンと哲学者ミシェル・フーコーの思想を整理して、端的に「「主体化」とは、言語秩序という他者の秩序への従属化」であり、「「主体化」とは「他者になる」過程にほかならない」と言っている（「脱アイデンティティの理論」上野千鶴子編『脱アイデンティティ』勁草書房、二〇〇五・一二）。

ラカンの「無意識は言語のように構造化されている」というテーゼはあまりにも有名だ。無意識さえも言語化しなければ無意識として語ることはできない。ましてや内面は言うまでもないだろう。語り手が語る主体となったとき、すなわち読者が読む主体となったとき、内面は言うまでもなく、無意識までも語られ／読まれる「言語秩序」に位置づけられるのである。内面とは言語のことである。

これを小説論として考えれば、小説の構造としての全体性（＝「私」の内面）は「語るいま」という時制が保証し、同時に「語るいま」という時制によって制限されるということだ。語り手は常に〈いま・ここ〉で語るが、それを読む読者が体感するのは、小説テクストが書かれたその時ではなく、読んでいる「いま」である。こうして、「いま」という時制が浮上する。「語るいま」は、作者ではなく語り手の行為そのものの時制である以上、まさにそれこそが「いま」小説テクストを読んでいる読者の領域なのである。語り手とは読者だったのだ。語り手は姿も見えず声も聞こえないとすれば、読者もまた小説テクストにおいては姿も見えず声も聞こえない。読者には小説テクストに対する態度だけがあるのだ。

第七章

性別のある読者

られる」と。ところが、これは「分業」だと言うのである。

小説と性別の微妙な関係

かつて小説は男のものだったと、ティボーデは言っていた。実は、こうも言ってはいたのだ。「小説の場合、理想的な完全な批評は――婦人読者と男性読者との合体でつくられる」と。

読む女の理想は作家の描く主要人物または女性人物と自他一致することである。読む男、または読んだ作品について書く男の理想は小説家の創作的精神と一致すること、さらに進んで――小説の創造的精神と一致することであろう。婦人の読書の究極にはロドルフの不誠実、シャルル・ボヴァリーの愚鈍にたいする裁きがある。男性の批評的読書の究極には、フローベールをフランス小説の文学的連鎖系列のなかに位置させる問題がある。（前出『小説の美学』）

ティボーデが言っているように、文学がまだ女性読者の居間のための営みで、まだ女性が作家となることが社会的に許されていなかった時代背景を考慮に入れても、思い切って差別的「分業」である。女性の感性が社会的条件に拘束されているなどという考えはまだなく、作中人物に感情移入するしかない女性の読み方が、女性の本質的な性質からもたらされたものと考える本質主義の立場からなされた批評だと、いまなら批判することはたやすい。しかし、それでもこの一節には小説を読む上で重要なヒントがある。それは、小説への関わり方に性別があるという示唆である。

　いまなら、長い間女性も男性の立場から小説を読むことを強いられてきたと批評的に言うことができるだろう。たとえば、志賀直哉『暗夜行路』と言えば名作の誉れが高い小説だが、この小説は最近はフェミニズム批評から批判的に論じられることが多い。主人公である時任謙作の感性があまりにも女性差別的だというのだ。さらには、小説の構成もそれを助長しているという。事実、『暗夜行路』を大学の演習で扱ったところ、論じるプロセスにおいて、女子学生からの反発や批判が激しかったという声を聞いたこともある。長い間、男性教員が女子学生に男性の立場から読み、そして評価することを強いてきた歴史があったことも否定できない。

　しかし、それはなにも女性に限ったことではないようだ。ことはそう単純ではない。逆の可能性も否定できないからである。女性が男性の立場から読むことを強いられてきたなら、男性もある制度の中で読んできたのではなかっただろうか。この点について、かつて前田愛はまったく逆の視点から、次のような刺激的な問題提起を行ったことがある。

『三四郎』の美禰子をめぐる論説には事欠かないが、『黴』のお銀や『足迹』のお庄に触れた論文がほとんど欠けているのは片手落ちといわなければならない。女子学生が過半数を占める演習を指導する近代文学の教師は、美禰子のような知的な女性には共感するが、お銀やお庄の生き方に共鳴する感受性を鈍らせてしまったのだろうか。（「新しい視点をどう取り込むか」『別冊國文学 No.20 レポート・論文必携』學燈社、一九八三・一〇）

男性教員が女子学生の立場から読むことを、特に意識化しないまま選んでしまっていると言うのだ。これは近代文学研究や文学部という制度に限定された話ではない。男女に限らず、こうした演習で教育を受けた学生がやがて国語教師として全国の学校に赴任して、このような感受性から授業をしているとするなら、これは日本の国語教育全体に関わる大問題なのである。学校空間では学校空間に似合った小説しか読まれないわけだが、それは女子学生の感受性によってつくられていたことになる。

私はかつて小学校や中学校の国語教科書の小説教材にはなぜか〈父〉が不在だと指摘し、そこに「自然に帰ろう」というメッセージが込められていると論じたことがある（前出『国語教科書の思想』）。国語教科書はなにも国語の教員が教材を選ぶわけではないが、編集の過程に「現場の声」が作用することはある。だとすれば、「国語教科書の思想」は前田愛の問題提起と関連があるのかもしれない。「国語教科書の思想」とは「女子学生の感受性」のことだったのかもしれないのだ。

現在小学校教員の七割以上が女性で占められ、中学校教員の五割以上が女性で占められ、高等学校教員の三割が女性で占められている。国語に限れば中学校では五割を、高等学校では三割をかなり超えているかもしれない。もちろん、女性教員を減らせなどとバカげたことを言いたいのではない。男性であれ女性であれ、教員は自らの読者としての性別が国語教育における読書行為と深く関わっている可能性について真剣に考える必要があると言いたいのである。なぜなら、国語教育こそが内面の共同体を形成するための国家規模の装置だからだ。そして、文学と性別の関係は複雑に絡み合っているからである。

女として読むこと

文学と性別との関係を論じるのに、かならずしも現実の性別だけを問題にする必要はないと、アメリカの文学理論家ジョナサン・カラーは言う。カラーは、実体としての男性や女性を問題にするよりも、「女として読むこと」を提案し、文学に関するフェミニズム批評には三つの局面があると言う。

第一の局面は、女性としての体験から小説を読んで小説中の女性の描かれ方を批評すること、第二の局面は、現実の性別を離れて女性として読むことによって小説の新しい理解に到達すること、第三の局面は、現在の批評を成り立たせている前提自体が男性の利害と結びつきそれと共犯関係にないかを検討することである。日本のフェミニズム批評も既にすべての局面を経験しているが、読者を論じようとするこの本で改めて注目しておきたいのは、第二の局面である。

第二の局面について、これまで「女は女として読んでこなかった」、つまり女性読者は「自己疎外」の状態にあったという反省に立って、カラーはこう言っている。

> 女としての体験と女性読者としての体験とをよりどころにするのは決定的に重要で不可欠のことではあるが、フェミニズム批評のかかわっている問題は、エレイン・ショワルターの巧妙な表現を借りれば、実は「女性の読者を仮設することによって、私たちがテクストの性的コードの重要性に気づき、そのことによってそのテクストの理解が変更されるということ」なのである。（傍点原文、『ディコンストラクションI』富山太佳夫ほか訳、岩波書店、一九八五・一）

> 女として読むことは、男として読むのを避けること、男性の読みに潜む歪曲や自己弁護を具体的に指摘し、是正策を示すことである。（同前）

女として読むことによってテクストの読みを更新しようと主張する最初の引用は特に

問題はないが、実は二番目の引用にはやや問題がある。それは、もともとテクストにはニュートラルな読みなど存在しないからである。あるいは、テクストの向こう側に「正しい事実」があるわけではないからである。また、女として読むことが「正しい読み」というわけではないからである。したがって、厳密に言えば「歪曲」という言い方は成り立たない。もし「歪曲」という言葉を使うのなら、「すべての読みは「歪曲」されている」と言うべきである。しかし、この問題にはこれ以上深入りはしないでおこう。

それよりもいま重要なのは、「主人公」という概念を再検討することだろう。なぜなら、男であれ女であれ感情移入する最大のポイントは主人公だからである。その意味で、作家である島田雅彦がその小説の書き方入門書『小説作法ＡＢＣ』（新潮選書、二〇〇九・三）において、「人称の設定により、小説は動き出す」という項目を立て、「これから書こうとしている小説のスタイルを、ある部分まで決定づけるもの、それは、人称の設定です」と書き起こし、さまざまな人称の実例を挙げて解説しているのはさすがである。主人公の人称によって、読者の感情移入の仕方が微妙に違ってくるからである。

主人公とは誰か

物語論的には主人公とはどのようなものなのだろうか。それは、二項対立的な世界を移動する人物である。この移動の四類型については第四章で説明した。小森陽一は、次のように説明している。

ユーリー・ロトマンは、テクストを内と外の二項対立的空間に分け、内から外へ、また外から内へ、二項対立的世界の境界線を越える人物を「主人公」であるとした。つまりテクストにおける事件とは「登場人物をして意味論的場の境界線を越えさせることである」のだ。(石原千秋ほか『読むための理論』世織書房、一九九一・六)

主人公についてこういう定義ができるのなら、それは必ずしも視点人物でなくてもいいことになる。事実、小森陽一自身も二葉亭四迷『浮雲』を論じて、多くの読者が主人公だと認識するだろう内海文三は「意味論的場の境界線」を越えていないので主人公の資格はなく、この物語で「意味論的場の境界線」を越えているのはお勢なのだから、彼女こそ主人公と呼ぶにふさわしいとしている(前出『構造としての語り』新曜社、一九八八・四)。

小森陽一は、場合によっては主人公が実在の人物と錯覚されることさえあったと批判するが、そのように錯覚されるほどリアリティーがあれば、小説としては成功ではないだろうか。そのような錯覚が内面の共同体を生む原動力になっているはずだからだ。また、主人公はそれほど自由に「発見」してもいいのだろうか。もちろん、文学理論上は可能だし、「是」と答えていい。しかし、感情移入のポイントとしての主人公は、小説テクストに構造として組み込まれているのではないだろうか。

夏目漱石『それから』から引用しよう。

着物でも着換えて、此方《こっち》から平岡の宿を訪ね様かと思っている所へ、折よく先方《むこう》から遣《や》って来た。車をがらがらと門前まで乗り付けて、此所《ここ》だ此所だと梶棒《かじぼう》を下《おろ》させた声は慥《たし》かに三年前《ぜん》分れた時そっくりである。玄関で、取次の婆さんを捕《つら》まえて、宿へ蟇口《がまぐち》を忘れて来たから、一寸二十銭貸してくれと云った所などは、どうしても学校時代の平岡を思い出さずにはいられない。代助は玄関まで馳《か》け出して行って、手を執らぬばかりに旧友を座敷へ上げた。（新潮文庫）

この一節を読んで、代助を主人公だと感じない読者はいないだろう。視点構造が代助を中心としているからだ。たとえば「着物でも着換えて、此方から平岡の宿を訪ね様かと思っている所へ、折よく先方から遣って来た」という部分がそれだ。省略された主語が代助を名指している。ふつうの読者なら、代助に感情移入して読むだろう。これが、主人公が小説テクストに構造的に組み込まれているという意味だ。そして、内面の共同体が形成されるとすれば、このような代助を主人公だと感じる感性に寄りそった位相においてだろう。

もちろん、「意味論的場の境界線」を越える人物を「発見」して主人公とすることは、文学理論上は何の問題もない。それは個性的な、そして個別的な読みとして、文学批評においては高い生産的な価値がある。事実、代助と三千代との恋において、多くの読者に逆らって、三千代が主人公だとする画期的な論もある。誘ったのは三千代だったと言うのだ。

代助が結婚する三千代に贈ったのは、真珠の指輪だった。夫となるべき平岡は時計を贈った。そもそも、これがボタンの掛け違いだったのかもしれない。この真珠の指輪に注目した研究者がいるのだ（斉藤英雄「真珠の指輪の意味と役割」『夏目漱石の小説と俳句』翰林書房、一九九六・四）。斉藤英雄の論を参照しながら、指輪をめぐる物語を見ておこう。

上京してはじめて代助を訪ねた三千代は、この真珠の指輪を指にはめていた。

　廊下伝いに座敷へ案内された三千代は今代助の前に腰を掛けた。そうして奇麗な手を膝の上に畳《かさ》ねた。下にした手にも指輪を穿《は》めている。上にした手にも指輪を穿めている。上のは細い金の枠に比較的大きな真珠を盛った当世風のもので、三年前《ぜん》結婚の御祝いとして代助から贈られたものである。（同前）

この記述で注意してほしいところが二つある。一つは、三千代が代助から贈られた真珠の指輪を上にして、わざわざ代助に見せている点だ。もう一つは、最後の「代助から贈られたものである」という表現だ。『それから』は、完全ではないが、ほとんどが代助の視点から書かれている。ならば、ここは「代助が贈ったものである」とあるべきだろう。それが「代助から贈られた」となっているのは、この場面では三千代が主体になっていることを意味している。三千代は、真珠の指輪を使って代助を誘っているのだ。「三年前を思い出してほしい」と。

三千代はその後、この二つの指輪を生活のために質入れしたことを「ぽっと赤い顔をして代助に話し、代助から「紙の指輪だと思って御貰いなさい」と、生活費として何枚かの紙幣を受け取る。ところが、三千代はそのお金でたぶん真珠の指輪だけを質から請け出し、それを箪笥にしまってあるのを代助に見せている。

三千代が指輪を質に入れたことを、平岡は知っているはずだ。三千代の指から指輪が二つとも消えたのだから。しかし、平岡は代助が「紙の指輪」だと言って三千代に生活費を渡したことを知らない。そのために、真珠の指輪だけを請け出したことは、三千代と代助の秘密となったのである。

だから、三千代はそれを指にはめることができずに、箪笥に隠してある。それを代助に見せたのは、三千代が「紙の指輪」を本物の真珠の指輪に変えたことを知らせるためにである。もっと正確に言えば、三千代が代助から改めて真珠の指輪を「贈られた」ことになるように仕組んだのだと、代助に告げているのだ。だからこそ、この時三千代は代助に「いいでしょう、ね」と同意を求めるのである。繰り返す。二人だけの秘密を作ったのは、三千代なのだ。――こうして、三千代が三年前にあり得たはずの物語を動かしはじめた。
この斉藤英雄のすぐれた読みは、小説テクストに構造的に組み込まれた主人公を変更しようという試みではない。いわばカラーが整理した、現実の性別を離れて女性として読むことよって小説の新しい理解に到達することという、第二の局面のフェミニズム批評だと言うことができる。もちろん、その結果として三千代を「意味論的場の境界線」を越える主人公として捉えることも可能だ。たとえば、「三千代が代助を現在から過去に連れ戻す物語」という具合にである。

ここで確認したいのは、読者が感情移入しやすいような「小説テクストに構造的に組み込まれた主人公」と、生産的な読書行為によって見いだされた「意味論的場の境界線を越える主人公」とは必ずしも一致しないということである。したがって、フェミニズム批評が主人公という制度と関わるとすれば、多くの場合、現実の性別を離れて女性として読むことで「意味論的場の境界線を越える主人公」を新たに「発見」することによってだろう。しかし、フェミニズム批評の立場からも「小説テクストに構造的に組み込まれた主人公」について考えないわけにはいかない小説がある。

読者の性の攪乱

江國香織の代表作に『きらきらひかる』がある。この小説は読者の性を攪乱する、大胆なまでに実験的な小説だと言える。その実験とは、視点人物を章ごとに交互に交代させ、フェミニズム批評を「小説テクストに構造的に組み込まれた主人公」の観点から揺さぶることである。すなわち、フェミニズム批評を女として読むことのレベルではなく、「小説テクストに構造的に組み込まれた主人公」のレベルにおいて機能させなければならないということだ。

江國香織の読者はほぼ女性に限られる。少なくとも、学生と接している限りはそう思ってまちがいない。そう言えば、少し前の就職活動では、「女性誌の隣に江國香織を平積みするような本の見せ方を提案したいです」と面接で熱弁をふるって、みごと希望通り大手文芸出版社の営業職に就いたゼミの女子学生もいた。いまは、その会社で文芸誌の編集者になっている。それくらい江國香織という固有名詞と女性読者は近接している。

そもそも江國香織の文体は、みごとに「女性的」に調律されている。『きらきらひかる』の冒頭部を引こう。『きらきらひかる』は、「やや情緒不安定な笑子《しょうこ》がゲイの睦月《むつき》と結婚するが、その事実を夫（睦月）のパートナー紺《こん》とともに受け入れるまでの物語」である。

> 寝る前に星を眺《なが》めるのが睦月《むつき》の習慣で、両眼ともに一・五という視力はその習慣によるものだと、彼はかたく信じている。私も一緒にベランダにでるが、星を眺めるためではない。星をみている睦月の横顔を眺めるためだ。睦月は短いまつ毛がまっすぐにそろっていて、きれいな顔をしている。

何を考えてるの、と睦月がきいた。

「人生のこと」

うそぶいたのに、睦月は真顔でうなずく。アイリッシュ・ウイスキーなど飲みながら、こうやって夫と夜風にあたるのは、私にとって至福のときである。

でも、すぐに寒くなってしまう。

暖房のきいた室内にそそくさとひきあげると、紫色のおじさんと目があった。水彩で描《か》かれたおじさんは、たっぷりと髭《ひげ》をはやしている。絵の前に立ち、私は歌をうたった。おじさんは、私の歌を聴くのが好きなのだ。（新潮文庫）

この書き出しにも、江國香織の文体の秘密の一端を見て取ることができる。漢字を少なくして、見た目にも柔らかい雰囲気を演出している。「睦月」（＝正月）という夫の名は、「十日前に結婚した」ばかりの夫婦のはじまりにふさわしい。そして、その彼を「きれいな顔」と表現するのは、女性の感性によっている。男性は美男子（私は「イケメン」などという品のない言葉は使わない）を見ても、それを「きれい」と表現することはまずない。男性にとって、「きれい」は女性に対して使う言葉だ。あるいは、このとき「私」は夫を「男の目」を通して見ていたのだろうか。

「人生」という重みのある言葉と「アイリッシュ・ウイスキー」という洒落た響きを持つ言葉（その実アイルランドのウイスキーは、スコッチ・ウイスキーよりもずっと少数派だから、意味深長）との組み合わせも、アンバランスな点でかえって絶妙である。
こうした「女性的な文体」は、男性読者である私にはちょっとまぶしいが、『きらきらひかる』の魅力はもちろんこのまぶしさにある。

「紫色のおじさん」とは誰か

冒頭部に書き込まれた「紫色のおじさん」とは、またいったい誰なのだろう。

暖房のきいた室内にそそくさとひきあげると、紫色のおじさんと目があった。水彩で描《か》かれたおじさんは、たっぷりと髭《ひげ》をはやしている。絵の前に立ち、私は歌をうたった。おじさんは、私の歌を聴くのが好きなのだ。

はっきり言って、意味不明である。「私」（＝笑子）がどこか精神の調子が外れているらしいことだけはわかる。それでも読者を置いてきぼりにしたまま、話はどんどん進んでしまう。謎が読者に答えを求めて前に進めと命じるようだ。あるいは、謎の答えを自分で見つけなさいと命じているようだ。「これは女性誌の提案するモードと、どこか似てはいないだろうか」と、ちょっと強引に考えてみる。

サラリーマン男性のファッションは、流行のスーツと靴を揃えたら、あとはVゾーンぐらいしかお洒落のスペースは残っていない。しかし、女性誌のファッションの提案の基本は流行のアイテムの「組み合わせ」だ。男性のファッションに比べて、自由度がはるかに高い。これが江國香織文学の基本なのではないだろうか。さらに言えば、『きらきらひかる』こそ「関係の自由」を求める小説だと言える。

「紫色のおじさん」の正体がわかるのは、新潮文庫で三十ページに到達してからである。


家に帰ると、笑子は一人で歌をうたっていた。正確にいえば、一人でではない。

壁にかけてある水彩のセザンヌにむかってうたっているのだ。


先に述べたように、『きらきらひかる』は章によって笑子視点と睦月視点とが入れ替わっている。ここは睦月の視点からの記述だが、この記述からは笑子の孤独が透けて見える。正確に言えば、笑子の孤独を見てしまった睦月がいる。もちろん、先の冒頭部との齟齬が問題なのである。

笑子視点で書かれた冒頭部では、笑子が「紫色のおじさん」に歌いかけることは、読者にとっては意味不明なほど「自然」に書かれている。ところが、睦月視点だと、それが「孤独」に見えてしまうのだ。笑子にとっての笑子と、睦月にとっての笑子が微妙にズレているのである。このズレは『きらきらひかる』のテーマの一つだと言っていい。『きらきらひかる』には、セザンヌの絵が何回か出てくる。それが最後ではそれまでとは明らかに違っているのだ。睦月視点で書かれている、ビリー・ジョエルの歌を聴いている場面である。

　それにしてもこれは何ていう曲だっただろう。ごく初期のアルバムの一曲目、メロディだけでも泣きそうになる曲。

「『SHE'S GOT A WAY』だね、これ」

　僕の気持ちをみすかしたように紺が言った。あしたもあさってもその次も、僕たちはこうやって暮していくのだ。僕はもう一杯シャンパンをついで飲む。

「記念日のプレゼントは、来年二回分くれればいいわ」

　笑子が言い、目の前でセザンヌが、いかにも楽しそうに微笑《ほほえ》んでいた。

『SHE'S GOT A WAY』(この曲名も、笑子に重ね合わせると意味深長だ)を聴いて、泣きそうになる睦月は「楽しそう」な笑子を見ることになる。繰り返すが、これが終わりの場面だ。そして、最後のページにはそのセザンヌの自画像が印刷されている。そう、『きらきらひかる』では、セザンヌの自画像が笑子の心を映し出す鏡になっているのである。

　そう考えると、先に繰り返して引用した冒頭部を「『私』がどこか精神の調子が外れているらしいことだけはわかる」と読んだ読者(つまり私だ)は、まちがいなくこの一節を男性として読んだことになる。「あなたは誰ですか?」、あるいは「あなたの性別は何ですか?」。章ごとに視点の切り替えがある『きらきらひかる』は、こういう問を読者に突きつける。『きらきらひかる』は、読書行為に組み込まれた性別を映し出す鏡になっているのだ。

視点の切り替え

『きらきらひかる』は、抽象的にまとめると「結婚直後の夫婦の一年のやや不安定な生活が安定するまでを書いた物語」である。こうまとめると何の変哲もないが、内科の勤務医である夫の岸田睦月はゲイで、結婚前から紺という大学生の「恋人」がいて、結婚後も関係が続いているから、妻とセックスはしない。また、アルバイト程度にイタリア語の翻訳を続けている妻の笑子はアル中の精神的に不安定な女性で、精神科から「精神病が正常の域を逸脱していない」(傍点省略)(つまり、立派な精神病ということだ)という診断書も出ている。ふつうの感覚からは、かなり厄介な夫婦なのである。

『きらきらひかる』は十二の章からなるが、章ごとに視点が切り替わる。もちろん、章ごとに書き方も変わってくる。視点人物の感じ方も変わってくる。『きらきらひかる』は、この視点の切り替えを楽しむ小説だ。そして、楽しみながら考えさせられる小説だと言える。ここまでの記述でも、「女性的な文体」だと述べたり、「私が男であることを意識させられる」というようなことを書いたのも、そういう理由による。そこで、全体を見渡すためにそれぞれの章を少し丁寧にまとめてみよう。全体は十二章からなる。各章のまとめの最後に、その章で印象的な部分を短く引用しておいた。

1「水を抱く」（笑子視点）：私と睦月は、見合い結婚直後の夫婦。「アル中の妻にホモの夫」という「脛《すね》に傷持つ者同士」のカップルだ。掃除好きの睦月は、私にアイロンかけを唯一の家事として要求した。この結婚には息子の事情を知っている義父だけが反対したのだった。――「「クリスマスだからね、外食しよう」どうしていつもこうなのだろう。睦月はやさしい。そうしてそれはときどきとても苦しい。」

2「青鬼」（睦月視点）：二人の関係を心配した僕の母親は、早く子供を作れという。しかし、笑子は紺の話を聞きたがり、僕は笑子の昔の恋人である羽根木のことを口にする。「僕たちは、恋人を持つ自由のある夫婦なのだ。結婚するときに、きちんとそう決めた。」――「「ただいま」ふりむいて、お帰りなさい、と言うときの笑子の顔が、僕は心の底から好きだ。笑子は決して、うれしそうにでてきたりしない。／僕がでかけているあいだ、この子は僕を待っていたわけじゃないのだ、と思う。」

3「きりん座」（笑子視点）：羽根木の夢を見た私は、睦月の病院に行ってみた。婦人科の柿井を紹介された私は、家に呼ぼうとするが睦月は乗り気でない。実は、柿井もゲイなのだ。私は、紺とのセックスのことを睦月に聞いた。――「こういう結婚があってもいいはずだ、と思った。なんにも求めない、なんにも望まない。なんにもなくさない、なんにもこわくない。唐突に、水を抱くという義父の言葉を思いだした。」

4「訪問者たち、眠れる者と見守る者」（睦月視点）：僕の友人たちを家に呼んでパーティーを開いた。全員がゲイで、紺も強引に来てしまった。パーティーの後、紺は家に泊まった。僕は、義父が「娘と、娘婿《むすめむこ》と、その恋人が川の字になって寝ているのをみたら、あのひとはどんな顔をするだろう。」と思った。――「窓のそばで、笑子はごくごくと音をたててビールを飲んでいる。凪にのって、雨の匂《にお》いが流れこんできた。」
5「ドロップス」（笑子視点）：結婚して四か月半がたった。あのパーティー以来、睦月の友人が時々遊びに来るようになった。紺くんは睦月のいないときにしか来ない。私はイライラして睦月に対してとても残酷な気持ちになって、傷つけてしまう。かかりつけの精神科医にかかってもらちがあかず、思い立って睦月の友人の脳外科医にかかってみるが、守備範囲外だとドロップスをもらって帰るしかなかった。――「睦月じゃだめなのだ。なんにもならない。私はどんどん睦月にたよってしまう。」
6「昼の月」（睦月視点）：笑子が鬱で、不安定になっている。しかし、僕は紺とセックスをしていた。紺は笑子を抱いてみたらと言う。また、僕は母に人工授精を勧められていた。笑子の両親は、僕がゲイであることをまだ知らないのだ。笑子は、僕に「どうしてこのままじゃいけないのかしら。このままでこんなに自然なのに」と言う。――「「説明してごらん」と言ってみた。笑子はびくっとし、泣きやんで顔をあげ、僕をにらんだ。「お医者様の口調で私に物を言わないで」敵意のこもった目つきだった。」
7「水の檻《おり》」（笑子視点）：友人の瑞穂と遊園地に行くと、そこに羽根木が来ていた。瑞穂が睦月に頼まれたのだった。怒った私は興奮のあまり倒れてしまい、瑞穂は睦月を呼び出し、睦月は眠ったふりをしたままの私を車で連れて帰った。——「私と睦月は一度も性交渉をもったことがないけれど、睦月のからだは私のからだに、ほんとにさらっと自然になじむ。」

8「銀のライオンたち」（睦月視点）：笑子はテレビの動物番組を見ていて、白い色をして短命に終わる「銀のライオン」が、僕たちゲイ仲間に似ていると言った。僕の父が家に来たので「銀のライオン」の話をすると、父は「笑子さんも銀のライオンにみえるよ」と言った。遊園地でのことが原因で、笑子は瑞穂さんと絶交してしまった。——「いままで大切にしてきたいろいろなもの、両親や瑞穂さんや、いままで愛してきたそういう人たちのいる場所から、こんなにどんどん孤立しつつあることに、彼女は気がついているんだろうか。」

9「七月、宇宙的なるもの」（笑子視点）：紺くんが遊びに来たので、睦月の病院に行って働く姿を見ることにした。夜、七夕のお願いを書いた。私はずっとこのままでいられますようにと願ったと言ったら、睦月はひどく悲しそうな顔をして、「変わらないわけにはいかないんだよ」と答えた。そして、瑞穂に全部話したと言った。——「紺くんは驚くほど真剣な顔をした。うん、そうだね、男の妻っていうのはみたことがない。「でも、僕は男が好きなわけじゃないよ。睦月が好きなんだ」」

10「親族会議」（睦月視点）：話は、瑞穂さんから笑子の両親に知れてしまった。義父は僕が「おとこおんな」（傍点原文）であるはずがないよなあと、信じられない様子だ。親族会議が開かれ、笑子の両親は僕の親を責めたが、母は「深く愛しあっている」から見守ることにしたのだと言った。義父が紺と別れてほしいと言ったら、笑子は、僕が紺と別れるなら自分も睦月と別れると言い切った。――「「僕たちはこのままでいいと思っています」笑子がはっきりした声で相槌《あいづち》を打つ。」

11「星をまくひと」（笑子視点）：私は睦月が紺くんと別れたから子供を作ることにしたと、両親に嘘をついた。でも、睦月は嘘はつけないと言う。それから四日後、睦月は紺くんと喧嘩をして帰ってきた。私は初めて紺くんとの「馴れ初め」を睦月から聞いた。翌日、紺くんはしばらく旅に出るという葉書を郵便受けに入れていった。――「たまらなかったのは睦月と寝られないことじゃなく、平然とこんなにやさしくできる睦月。水を抱く気持ちっていうのはセックスのない淋《さび》しさじゃなく、それをお互いにコンプレックスにして気を使いあっていることの窮屈。」

12「水の流れるところ」（睦月視点）：笑子は紺がいなくなってからしばらく動揺していたがそのうち落ち着いて、なんと僕と紺の精子を混ぜ合わせて人工授精できないかと柿井に相談していた。だが、二人とも紺がいなくて淋しかった。すると紺が帰ってきて、笑子は紺を下の部屋に住まわせたのだった。――「あしたもあさってもその次も、僕たちはこうやって暮していくのだ。」

笑子視点と睦月視点が交互に書かれている。この視点の転換のあわいからはっきりわかるのは、笑子が睦月を強く求めていることだ。しかし、睦月は世間の常識から自分たちを見ている。そこに齟齬があり、ズレがある。笑子がイライラし、情緒不安定になり、睦月を傷つけるのは、睦月と紺との関係を受け入れる苦しみもあるからにちがいないが、理由の中心は睦月が世間の常識から離れることができないからだ。

「このままでこんなに自然なのに」

笑子と睦月の違いがはっきりわかる場面がある。睦月の母から人工授精を勧められたことに対する反応である。

> 笑子は困惑しきった顔で、ほんとにみんなどうかしている、と言った。
> 「どうしてこのままじゃいけないのかしら。このままでこんなに自然なのに。このままでこんなに自然なのに。自然という言葉の定義はともかくとして、」堂々とそう言った笑子に、僕は胸が一杯になってしまった。（6章）

笑子は「みんな」が「どうかしている」と思っている。常識がおかしいと言うのだ。それに対して、睦月は笑子の使った「自然という言葉の定義」を問題にしている。常識の側から見れば、笑子の使った「自然という言葉の定義」はおかしいというわけだろう。

笑子は自分の世界を自然に「自然」だと思っている。しかし、睦月にはそれを疑う常識が残っている。「お医者様の口調で私に物を言わないで」とは、そういう意味だ。医者は常に常識の側にいなければならないからである。常識の側から見れば、笑子は「異常」と診断されてしまうのだから。それが笑子をイライラさせるのである。

笑子のイライラを代弁してみよう。

睦月は自分と紺が、常識から見れば「ホモ」という特別な性的関係にあることを認めている。認めていながら止めることはできない。それなら、自分と紺との関係を「自然」だと思いこんでしまえばいいではないか。どぎつい言い方をするなら、「バカが自分をバカだと思っていないように」である。たしかに睦月は「清潔」で「やさしく」て、そして自分たちの関係を瑞穂に話すように「善良」かもしれないが、それは卑怯の別名ではないのか。だから、笑子には睦月が「おそろしく鈍感」に思えるときがあるのだ。

——

これは、「精神病が正常の域を逸脱していない」と診断された笑子にだから言える理屈である。常識がどう見ようと、笑子にとって「自然」はそれ以上でもそれ以下でもない。常識がそれ以上でもそれ以下でもないように、である。笑子にとって「自然」とは何か。それをよく示す一節を引用しよう。遊園地で笑子が倒れた場面である。

からだの下に睦月の手がすべりこんできたとき、睦月が私を抱きあげるより一瞬だけ早く、私は睦月の胸に顔をおしあてた。睦月の体温、睦月の心音。私は子供みたいに安心な気持ちになった。私と睦月は一度も性交渉をもったことがないけれど、睦月のからだは私のからだに、ほんとにさらっと自然になじむ。（7章）

笑子は、こういう身体感覚を大事にしている。そして、それを「自然」と感じている。だから、根本的なところで強い。「善良」という名の常識を隠れ蓑にして「ホモ」という名を生きている睦月とは違っている。睦月自身が言うように、「ホモ」は「おかま」とは違う。「ホモ」はあくまで「男」なのである。

アメリカの比較文学者ショシャナ・フェルマンは、長い間「精神の健全」は男性に当てがわれ、精神の病は女性に当てがわれて来たと述べている（『女が読むとき　女が書くとき』下河辺美知子訳、勁草書房、一九九八・一二）。私たち読者も、章ごとの視点の切り替えによって、おそらくは睦月の視点から笑子の苦しみを、精神科医のように「情緒不安定」と「診断」してしまわなかっただろうか。もしそうだとしたら、私たち読者はまちがいなく常識の側から、つまり「男」の側から笑子を読んでいたのだ。たとえあなたが生物学的な女性であったとしても、である。『きらきらひかる』の読者は試されている。そして、問を突きつけられている。「あなたは誰ですか？」、あるいは「あなたの性別は何ですか？」と。

はじめに「あるいは、このとき「私」は夫を「男の目」を通して見ていたのだろうか」と書いた。笑子の苦しみは、おそらくこの「男の目」から自分を解放するまでの通過儀礼でもあった。

笑子と紺との間には、こういうやりとりもあった。

「でも、僕は男が好きなわけじゃないよ。睦月が好きなんだ」

あっさりと、涼しい顔で紺くんは言う。

「ふうん」

私は胸がざわざわした。それじゃあ私とおんなじだ。

「男」とか「女」ではなく、固有名詞で好きになる。通過儀礼の後にあるのは、そういう世界である。

フェミニズム批評はなやかなりし頃、あるレズビアンのフェミニスト批評家は「ふつう」の男女の性愛を「強制的異性愛」と呼んだ（アドリエンヌ・リッチ『血、パン、詩。』大島かおり訳、晶文社、一九八九・一一）。それは社会に組み込まれた「男性権力」を暴くためには実に有効な批評だったが、男性と女性の関係を「強制的異性愛」と呼んだとき、「異性愛」と「レズビアン」とは対立関係におかれる。それは、世界を「自然」に受け入れる笑子とはまるで違っている。

江國香織の『きらきらひかる』は一人の笑子を生み出したことで、フェミニズム批評を超えるフェミニズム批評となった。しかし、『きらきらひかる』を読む読者もそうであったかどうかは、また別の問題だ。『きらきらひかる』は章ごとの視点の切り替えによって、女として読むことを意識化せざるを得ない構造になっている。しかも、登場人物笑子の女としての性は封印されているので、読者は女として読むことをことさらに意識化させられる。あえて言えば、『きらきらひかる』の読者は、女として読むこと以外のやり方では「女」になれない。

章ごとのめまぐるしい視点の切り替えが、そういう問を私たちに突きつけている。「あなたは女として読むことができますか」と。いや、「笑子の「自然」を受け入れることができますか」と。

第八章　近代文学は終わらない

文学には何も期待しない

クロード・レヴィ＝ストロースは、一九七七年一二月に行われたラジオ講演の終わりで、小説について次のように発言した。

いま私たちが眼前に見る状況は、論理的観点に立つと、かつて神話が文学のジャンルとして消滅し、小説がそれにとって代わったときの状況に酷似しています。私たちの見ている前で、こんどは小説が消滅しようとしています。（『神話と意味』大橋保夫訳、みすず書房、一九九六・一二）

さすが神話研究をライフワークとする文化人類学者だけあって、スケールの大きな話である。レヴィ＝ストロースは小説に変わる芸術として音楽を挙げていた。しかし、このラジオ講演から四十年が経ったが、小説は消滅していない。レヴィ＝ストロースの見込み違いだったのだろうか。ところが、最近になって柄谷行人がいまや「近代文学の終り」だと宣告し、衝撃を与えた。柄谷行人は、その講演をこう話し始めている。

今日は「近代文学の終り」について話します。それは近代文学の後に、たとえばポストモダン文学があるということではないし、また、文学が一切なくなってしまうということでもありません。私が話したいのは、近代において文学が特殊な意味を与えられていて、だからこそ特殊な重要性、特殊な価値があったということ、そして、それがもう無くなってしまったということなのです。これは、私が声高くいってまわるような事柄ではありません。端的な事実です。（前出『近代文学の終り』）

ここで柄谷行人が言う「文学」とは「小説」のことで、それが終わったと言うのには大きく二つの意味がある。一つは、小説が社会的に新しい思想を切り開くような価値を失ったということ、もう一つは、小説が内面を書くことを止めてしまったか、書けなくなってしまったということである。先に引いたように、柄谷行人はこの講演で「「共感」の共同体」が「想像の共同体」をつくるのだとも発言しているから、この二つは結局は一つのことなのである。柄谷行人はこの講演をこう締めくくっている。

最後にいいますが、今日の状況において、文学（小説）がかつてもったような役割を果たすことはありえないと思います。ただ、近代文学が終っても、われわれを動かしている資本主義と国家の運動は終らない。それはあらゆる人間的環境を破壊してでも続くでしょう。われわれはその中で対抗して行く必要がある。しかし、その点にかんして、私はもう文学に何も期待していません。(同前)

「近代文学の終り」という衝撃的なフレイズは一人歩きして、これを単純に「文学の終り」と思いこんで、職を失うのかと慌てた文学研究者もいたようだし、柄谷行人を交えて「昨今の小林多喜二『蟹工船』ブームでは文学は復活しない」という反語的なテーマの座談会を組んだところ、柄谷行人の「自分は内面を書く近代文学が終わったと言ったのであって、『蟹工船』は内面を書いていないのだから、『蟹工船』ブームはまさに「近代文学の終り」を証明しているようなものだ」という趣旨の発言によって木っ端みじんにされたり、学界や文壇の狼狽ぶりはやや滑稽でさえあった。

柄谷行人はこうも言っている。

私は、作家に「文学」をとりもどせといったりしません。また、作家が娯楽を書くことを非難しません。近代小説が終ったら、日本の歴史的文脈でいえば、「読本」や「人情本」になるのが当然です。それでよいではないか。せいぜいうまく書いて、世界的商品を作りなさい。マンガがそうであるように。実際、それができるような作家はミステリー系などにけっこういますよ。一方、純文学と称して、日本でしか読むにたえないような通俗な作品を書いている作家が、偉そうなことをいうべきで

はない。（同前）

柄谷行人が何に苛立っているのかがよくわかる一節である。「純文学などというジャンルの社会的な価値はもうないのに、「純文学作家」が「文化人」であるかのように偉そうなことを言うな」ということだろう。幸いにも「時評　文芸」（『産経新聞』）を十年以上も担当させてもらっている身としては、柄谷行人の発言を半ば肯定する気持ちと、半ば否定する気持ちとが交錯する。しかし、少なくとも、私には「私はもう文学に何も期待していません」とは絶対に言えないし、言うつもりもない。もちろん、思ってもいない。

そこで、「半ば否定する気持ち」に頼って、柄谷行人にささやかな抵抗を試みておこう。結論を先に言えば、私の論点は、柄谷行人は内面を書くことと内面を読むこととの違いを考慮していないのではないかというところにある。内面を書かなくても読者は内面を読み、内面の共同体を形成する。それが現代社会に生きる読者を拘束しているパラダイムではないだろうか。これは、この本のテーマでもある。

内面とは何か

誰もが知っている夏目漱石の『三四郎』。主人公の小川三四郎が友人の与次郎に金を貸したら、馬券を買ってすってしまった。生活費に困った三四郎は里見美禰子に金を借りに行く。すると、美禰子はこんなことを言う。

「馬券で中《あて》るのは、人の心を中るよりむずかしいじゃありませんか。あなたは索引の附いている人の心さえ中てみようとなさらない呑気《のんき》な方だのに。」

美禰子は誘っている。索引にはたしかに「愛→三ページ」などとあるのに、実際に「三ページ」をあけてみると何も書いていない、そんな本がたまにある。実用には不便に違いないが、逆に「本文」の保証された「索引」のような文学など楽しくはない。「本文」（＝内面）は読者が書くのだ。美禰子の一連のそぶりは、たぶん十分に意識的だ。しかし、そのあたかも「索引」のようなそぶりに「本文」があるとは限らない。だからこそ、いまでも美禰子は魅力的な意味の中心であり続けるのである。

本文のない索引――それはあたかも「面《めん》」に似ている。和辻哲郎は、有名な「面とペルソナ」（『思想』一九三五・六）でこう言っている。「顔」は「人の存在にとって」「中心的な地位を持つ」。そのために、もともと「面」を意味した「persona」は「面」の持っている「自由に肢体を回復する力」によって、しだいに部分を超えて、劇中の「役割」や「人物」の意味を経て「人間存在におけるそれぞれの役割」になった。さらには、「行為の主体」としての「人格」の意味に転じたのだと言うのだ。このプロセスには、表面や外面こそが内面を現前させ、隠すことが見せることだという逆説が示されている。

「面」は見られるためにある。いや、見られているという意識が「面」を必要とするのだ。多木浩二は、一九世紀半ばにはじめて肖像写真を撮ったある程度の社会的地位を持った人々が、例外なく自分の肖像写真に「ひどく失望し、ときには怒り出した」話を紹介して、次のように意味付けている。

人間は公的にも私的にも、つねにある種の仮面《ペルソナ》によって人びととの関係を保っているものである。ブルジョワジーが自らに擬していた自我もこうした外面的関係のつくる仮面《ペルソナ》にほかならなかった。つまり、ブルジョワジーやプチ・ブルジョワジーは社会的自我を裏切る写真に怒り狂ったのである。この仮面《ペルソナ》は変装して生きるためというよりは、家父長として必要な威厳であり、自分で手に入れた社会的地位や財産にふさわしいポーズ、それこそ真の自分だと思っている姿態であった。（『眼の隠喩』青土社、一九八二・一〇）

肖像写真に写っていたのは、ブルジョワジーの「社会的自我」という「仮面《ペルソナ》」ではなく、おそらく一個のありのままの「人格」（＝内面）だったに違いない。その落差に、彼らは怒り狂ったのである。しかし、それを暴いてしまったのは、ほかならぬ彼ら自身の視線だった。その時、彼らはほとんど自己に対して他者になっている。

これは、まさに読書行為の隠喩となっている。たとえて言えば、「仮面《ペルソナ》」は「期待の地平」であり、自分の肖像写真（＝テクスト）を見る視線は「内包された読者」だと言える。肖像写真は「期待の地平」を「内包された読者」が裏切っていく構造をつくりだしていたのである。肖像写真によって内面が読まれ、また内面は肖像写真を読む。そのような内面とテクストの相互的な働きによって、裏切りの構造（イーザーなら「否定作用」と呼んだだろう）がつくりだされていたのである。

近代が、人間の諸感覚の中で最も対象化作用の強い視覚に特権的地位を与えたことはよく知られている。たとえばサルトルは、他者とは「私にまなざしを向けている者」（『存在と無　第二分冊』松浪信三郎訳、人文書院、一九五八・二）だと定義している。少し前まで、視線を避け合うのが礼儀だとされたり、逆に視線を交わすことそれ自体が「にらめっこ」という遊びとなり得てしまったりした日本文化にあっては、サルトルの定義は少しも奇異に響かない。視線恐怖症という神経症のあり方も、日本以外の国ではあまり例がないと言う（笠原嘉『精神病と神経症』みすず書房、一九八四・五）。

視線恐怖症は、他者の視線に対する「仮面《ペルソナ》」をつくりだすことができなかったために、他者の視線が自己の全存在を射抜き、対象化してしまうような恐怖感を覚えるために起こるのだろう。そこには、内面こそが真の自己だという確信がある。しかし、大衆社会の爛熟期である現代では、このような内面の他有化は、もはや危機ではなく日常なのだ。

現代では他者の視線は内面化され、「他者の視線でプライバシーをのぞかれなくては、もう自分が誰かを確かめることもできなく」（上野千鶴子『〈私〉探しゲーム』筑摩書房、一九八七・一〇）なってしまっている。他者の視線は自己の「内面」を暴く凶器ではなく、むしろアイデンティティーの根拠となっているのである。私たちは、外面という他人用の「面」と、内面という自分用の「面」を持っているにすぎないのだ。その中心に、読む主体としての読者が位置している。読書行為で言う「全体像《ゲシュタルト》」とは、「内面」のことだったのである。

『三四郎』における美禰子の内面はすべて読者に委ねられている。美禰子が魅力的な登場人物であり続けるのは、内面が書かれないからなのである。夏の夕日を全身に浴びながら私たちの前に登場した美禰子は、まさに光り輝いている。しかし、美禰子が光り輝いているほんとうの理由は、一枚の肖像画に自己を封じ込めた美禰子の内面を、読者しか知らないからだ。

ふるまいと内面

もし内面が直接書かれていなければ内面がわからないというのであれば、多くのリアリズム小説は成り立たないだろう。では、内面が直接書かれていないのに読者にはわかるのはなぜだろうか。この点について、ヴィトゲンシュタイン学者黒崎宏の論を引こう。

　自分の痛みの場合はどうでしょう。自分の痛みならば感じる事が出来るでしょう。（中略）そして私は、痛みの振る舞いをし、かつまた「痛い！」と言うでしょう。

さてここで、視点を他人に移してみます。そうすると、他人から見ても当然、私は痛みをもっている事になります。ここにおいては、彼我の判断は一致しなくてはなりません。何故なら、私は他人から言葉を——今の場合は「痛い！」という言葉およびそれに関連する言葉を——習ったのですから。私の言語使用の根拠は、実は、他人の言語使用にあるのです。したがって基本的には、他人が私に痛みを認める時にのみ、私は自分に痛みを認める事が出来るのです。それ故、私がどんなに痛くとも、それに相当する痛みの振る舞いが生じなければ、他人は私に痛みを認めませんから、私は「痛い！」とは言えないのです。したがって、私の〈痛みの振る舞い〉が、私の〈痛み〉の存在根拠なのです。私の痛みは、私の痛みの振る舞いを根拠にして、その存在を確保するのです。（傍点原文、『言語ゲーム一元論』勁草書房、一九九七・一二）

黒崎宏は「痛みの振る舞い」が「痛み」を意味していると主張する「行動主義」を否定し、痛みとは「痛みの振る舞いを根拠にして、言語的に「痛みがある」と言われる事が出来て初めて存在できる存在」（傍点原文）、すなわち「言語的存在」だとしている。黒崎宏が「痛みの振る舞いを根拠にして」として、「振る舞い」と「痛い！」と言うことができることをセットとして強調するのは、たとえばある人が顔をしかめて下腹を押さえていただけであれば、その「振る舞い」は演技かもしれないからだ。一方、「痛い！」と言えただけでは嘘かもしれない。だから、「痛みの振る舞い」は「〈痛み〉の存在根拠」だと言うのだ。

「振る舞い」と「「痛い！」と言う」ことがセットになってはじめて、私たちの「痛い！」という言葉はリアリティーをもつことができるのである。つまり、私たちの内面を表象することができるのである。しかも、私たちは「痛い！」という言葉の言語使用を他人から習ったのだった。痛そうな振る舞いと「痛い！」という言葉とが他人の上にセットになって現れたのを見て、私たちは「痛い！」という言葉の意味（＝使い方）を理解するのである。私たちはこうした複数の主体を横断する間主観的な営みを通して、言葉を学習する。

この黒崎宏の議論からは、二つのことが導き出せる。一つは、私たちはこのようにして「振る舞い」を伴って言葉を身につけたのだということ。もう一つは、現実世界ではこのようにして他人から言葉を習うことによって内面の共同体が形成されるということだ。これがリアリズム小説を成り立たせている原理だと言える。なぜなら、リアリズム小説は人間を外面から書く技法だからである。ところが、リアリズム小説に書かれた外面は内面という深さにおいて読まれる。

ここで、オングの意見を聞こう。

すでに見たように、書くことと読むことは、一人でする活動である（ただし、読むことは、はじめは、ほとんどと言っていいくらい集団的になされたのだが)。書くことと読むことは、こころを、精力的で、内面的で、個人的な思考に引きこむ。こうした思考を、声の文化のなかで生きていた人びとは知らなかった。書くことと読むことがつくりだす私的な世界のなかで、「立体的な」登場人物への感覚が生まれる。それは、深い内面的な動機をもち、なぞめいてはいるが、しかし、一貫したしかたで内面から動かされているような性格である。手書き文字によって統御された古代ギリシアの戯曲のなかにはじめて現れたこの「立体的な」登場人物は、印刷の出現ののち、シェイクスピアの時代においてさらに発展し、小説においてその頂点に達する。(前出『声の文化と文字の文化』)

ここでオングの言う内面こそは、柄谷行人が現代文学では書かれなくなったと言う「内面」である。柄谷行人が言うように、小説テクストはこうして手に入れた内面をやすやすと手放すだろうか。言い方を変えよう。小説テクストの読者はこうして手に入れた内面をやすやすと手放すだろうか。この問題を考えるために、ストーリーとプロットについて論じておこう。

ストーリーとプロット

私たちは何を求めて小説を読めばいいのだろうか。それは、プロットに隠された内面だと言っていい。ストーリーとプロットの問題について考えるときには、イギリスの小説家エドワード・モーガン・フォスターの『小説とは何か』（米田一彦訳、ダヴィッド社、一九六九・一）を参照するのが定石である。フォスターはこう言っている。

プロットを定義しましょう。われわれはストーリーを、時間的順序に配列された諸事件の叙述であると定義してきました。プロットもまた諸事件の叙述でありますが、重点は因果関係におかれます。〈王が亡くなられ、それから王妃が亡くなられた〉といえばストーリーです。〈王が亡くなられ、それから王妃が悲しみのあまり亡くなられた〉といえばプロットです。時間的順序は保持されていますが、因果の感じがそれに影を投げかけています。あるいはまた、〈王妃が亡くなり、誰もまだその理由がわからなかったが、王の崩御を悲しむあまりだということがわかった〉となれば、これは神秘をふくむプロットで、高度の発展を可能とする形式です。それは時間的順序を中断し、その諸制限の許しうるかぎり、ストーリーからはなれています。王妃の死を考えてください。ストーリーならば、〈それからどうした？〉といいます。プロットならば〈なぜか？〉とたずねます。これが小説のこの二つの様相の基本的なちがいです。

フォスターは、続けてこう言っている。「好奇心だけではわれわれは少ししか進めず、小説の奥深くへはいることもできません――せいぜいストーリーまでしかいけません。プロットを理解しようと思えば、知性と記憶力をも加えねばならないのです」と。

フォスターの説明には少し理解しにくいところがあるので、説明し直してみよう。

「王が亡くなられ、それから王妃が亡くなられた」という文は、王が亡くなったことと王妃が亡くなったという二つの出来事を、時間的な順序にそって書いたものにすぎない。つまり、この文からわかるのは二つの出来事の時間的順序だけであって、二つの出来事の関係は一切わからないということだ。したがって、王が亡くなったあとになぜ王妃が亡くなったのかは、この文からはわからない。侵略してきた敵に一族が根絶やしにされたのかもしれないし、足を滑らせて階段から転げ落ちたのかもしれない。これが、フォスターの言うストーリーである。

一方、「王が亡くなられ、それから王妃が悲しみのあまり亡くなられた」という文は、王が亡くなったことと王妃が亡くなったという二つの出来事の関係がわかるように書かれている。王が亡くなったことが原因で、その結果王妃が亡くなったことになる。つまり、二つの出来事の因果関係がわかるように書かれているということだ。これがフォスターの言うプロットである。

しかし、少し考えれば、無関係な出来事が一つのまとまった文の中で語られるのはいかにも変だと感じるだろう。小説でも同じで、無関係な出来事を羅列して書いてある小説はまずない。出来事と出来事との間に何らかの関係があると読んでほしいから、一つの小説の中に複数の出来事を書き込むのである。私たちは、小説のストーリーからすでに何らかの関係を読み込んでいるはずなのである。

つまり、「王が亡くなられ、それから王妃が亡くなられた」という文を示されたら、私たちはおそらく「王が亡くなられ、それから王妃が悲しみのあまり亡くなられた」という意味に読むということだ。ストーリーにはすでにプロットが組み込まれているのだ。もしそうだとするなら、王が亡くなったことと王妃が亡くなったという二つの出来事の間に、私たちはすでに何らかの因果関係を読んでいることになる。それはなぜだろうか。

私たちは、まったく白紙の状態で文章を読むことなどあり得ない。必ずある状況の中で、ある先入観を持って文章を読む。フォスターの挙げた例の場合、二つの出来事をごく自然に「夫婦愛」といった枠組で関係づけて読んでいるのである。だから、「王が亡くなられ、それから王妃が亡くなられた」という文から「王が亡くなられ、それから王妃が悲しみのあまり亡くなられた」といった意味を読み取ってしまうのである。

この短い文の中で、二つの出来事をつなげてリアリティーを感じさせるのは、「悲しみのあまり」という一節である。王妃の内面が語られれば、いや王妃の内面が読み込めれば、私たちは小説にリアリティーを感じるのだ。人の自我がもっとも大切なものだと考えられている現代においては、内面こそが真実の宿る場所なのだから。リアリズム小説は、そういう時代にふさわしい技術を持った芸術だと言っていいだろう。

しかし、ストーリーを書いたテクストとプロットを書いたテクストが別々にあるわけではない。同じ一つのテクストが、読者の問いかけの違いによって二つの異なった様相を見せるのである。ストーリーが「それからどうした？」という問によって浮かび上がらせることができるのに対して、プロットは「なぜか？」という問によって浮かび上がらせることができる。ストーリーはこれから先のことすなわち結末について問いかけ、プロットは過去のことすなわち原因について問いかけていることになる。少し言い方を変えるなら、ストーリーでは時間によって、プロットでは因果関係によって個々の要因が隣接しているのである。ストーリーが時間的な進展だとしたら、プロットは質的な飛躍なのだ。

その飛躍が展開として認識されるためには、その飛躍を「自然」と見なすパラダイムがなければならない。このパラダイムは、地域によっても時代によっても異なる。繰り返すが、先のフォスターの挙げた例について言えば、王が死に、その「悲しみのあまり」王妃が死んだことを「自然」な展開だと認識するためには、たとえば「家族愛」や「夫婦愛」といったパラダイムが必要だろう。しかも、女は男に従うべきだという性の政治学を隠したパラダイムが。このような形の「家族愛」という思想が近代という時代の産物であることは、最近の社会学や歴史学の説くところだ。その意味で、因果関係はまさに時代がつくるのである。このことについては、第六章でも触れた。

ここで、第四章で述べた医学と小説に関する話を思い出してほしい。現代医学が症状という目に見えるものから病という目に見えないものを読みとることを重視したように、リアリズム小説も目に見えるものだけを記述しながら、その実、目に見えないものをそこから読みとることを重視したのである。この場合、目に見えないものとは登場人物の内面である。

東野圭吾『容疑者χの献身』

ストーリーとプロットが複雑に絡み合った小説と言えば、探偵小説である。探偵小説は特にプロットに多くの意を払うだろう。何度も引くが、オングはプロットについてこう言っている。

> クライマックスに向かってすすむひとすじのプロットのようなものを、そもそもプロットのパラダイム〔典型〕と見なすなら、叙事詩にはどのようなプロットもない。厳密な意味でのプロットが、長い物語のなかに現れるのは、書くことがおこなわれるようになってからである。（前出『声の文化と文字の文化』）

探偵小説とプロットの関係については、こう言っている。

> 探偵小説のプロットは、つぎの点で、きわめて内面的であると言える。すなわち、一般にいえば、まず一人の登場人物の精神のなかに、完全に閉じられた〔認識の〕

ありかたが実現され、そのあと、そのありかたが、読者やほかの登場人物にも伝えられるということである。（同前）

ここで、東野圭吾『容疑者χの献身』を取り上げてみよう。断っておくと、私は探偵小説に関してはまったくの素人読者である。見当違いのことを言うかもしれないが、ご容赦願いたい。

実は、『容疑者χの献身』は二度見て、それから読んだ。見たのは映画と舞台（キャラメルボックス、於：サンシャイン劇場）である。映画には柴咲コウ演じる女性刑事がいたり、冬山登山の場面があったりと、原作とはかなり違っていた。全体的に、舞台の方が原作に忠実だった。そして、私がおかしいと思った点については、どちらもカットされていた。どちらの脚本家も気づいたのかもしれない。

『容疑者χの献身』はこういう物語だ。

水商売を辞め、一人娘を抱えて弁当屋の店員として働いている花岡靖子の所へ、離婚した夫である富樫慎二が金をせびりに来た。靖子は富樫にこのことでずいぶん苦しめられていたのである。それを知っている靖子の娘（富樫とは血がつながっていない）、美里が帰り際の富樫を後ろから銅製の花瓶で殴りつけてしまう。富樫は美里に襲いかかったので、靖子は炬燵のコードで富樫の首を絞め、美里は富樫の手を押さえつけて、富樫を殺害した。

たまたまアパートの隣室に、石神という高校の数学教師が住んでいた。かれは大学院時代将来を嘱望されていたが、家庭の事情で大学院を中退していた。そして数学教師となったのだが、生きることに希望を見いだせず自殺しようとしていたその日に、靖子と美里母子が隣室に転居してきた。その日からこの二人の存在が石神の唯一の生き甲斐となった。

隣室での物音を聞きつけた石神は富樫の始末を申し出る。そしてみごとなアリバイ工作をして、早くから靖子が犯人だと睨んでいた警察を撹乱する。そのアリバイ工作とは、こうだ。〔以下ネタバレ注意〕富樫が殺害されたのは、三月九日だ。そこで、石神は富樫の死体を始末した後、三月十日にホームレスを一人殺害し、警察にその死体を富樫だと思いこませたのである。

その上で石神は、靖子と美里に、三月十日に映画を見るというそれなりのアリバイをつくらせた。ホームレスの推定殺害時刻が三月十日だったことで、ややあやふやなところがある三月十日のアリバイを崩すことに集中した警察は、富樫殺害が三月九日だとはまったく気づかない。それに気づいたのは、かつての同級生でいまは帝都大学准教授のガリレオこと湯川だけだった。

湯川は彼なりの言い方で、自分は気づいたと石神に告げる。すると石神は、靖子に取りついたストーカーのふりをして、靖子を守るために富樫を殺したのだと言って自首してしまった。事件の後にもとキャバレーの客だった工藤邦明という会社社長が、靖子に誠実に結婚を申し込んでいたが、湯川から彼が推測した「真実」を告げられた靖子は、そこまでして自分たちを守ってくれる石神を見殺しにはできず、自分も自首した。それを知った石神は慟哭するのだった。――。

携帯電話の謎

『容疑者χの献身』は一般的には、どう読まれているのだろうか。

湯川から推理を聞かされた靖子が、石神が工藤と一緒になるように勧めた手紙を読んで「これほど深い愛情に、これまで出会ったことがなかった。いやそもそも、この世に存在することさえ知らなかった」と思うところがある。舞台のプログラムには、この文章が一ページを使って大きく掲げられている。石神の靖子親子への愛の物語である。映画のプログラムも、俳優へのインタビューで、石神の靖子親子への愛を前面に押し出している。アマゾンのレビューをいくつか読んでも、やはりこのポイントに感動したというものが多かった。しかし、ことはそう簡単ではないようだ。

実は、原作を読んでおかしいと思ったところがある。石神の供述の中にあった、富樫との携帯電話による通話の件である。石神は富樫を呼び出し、携帯電話で場所を確認してから殺害したと供述した。もちろん、架空の供述である。しかし、石神の携帯電話の通信記録を調べれば、すぐに通信したという事実がないことがわかってしまうはずである。そこで、こう考えた。石神はすでに死んだ富樫の携帯電話を使ってあらかじめ自分の携帯電話に電話をかけて、通信記録を残しておくということである。これなら、石神自身の供述と辻褄が合う。

こういう話をしたら、東野圭吾ファンの学生が（その学生も映画だけでなく、舞台も観ていた）よく読み込んで考えてくれて、それはあり得ないと言う。なぜなら、もしそんなことをしたら富樫の携帯電話の最後の通話者が石神だとすぐにわかるのだから、警察ははじめから石神を疑ったはずである、と。なるほど。これが探偵小説の読者かと感心させられた。

そう言えば、石神が富樫の死体から所持品をチェックしたときにも、携帯電話の記述はなかった。それに、石神が富樫殺害のすぐ後に靖子の部屋に電話をするが、特別な関係もないアパートの隣人に固定電話の番号を教えるだろうか。これもおかしい。これで万事休す。どうも、この小説は電話に関しておかしなことが多いのだ。脚本が石神の供述の中でも携帯電話の点に触れていなかったのは、当然と言うべきだろうか。

これは、九十九パーセント作者のミスだと思う。事実として、たとえ古典的名作とされていても、どんなに面白くても、おそらく完全な小説はないだろう。しかし、作者のミスと考えないような、つまり、あとの一パーセントだけ解釈の余地があると考えるような立場もあると思う。私は気安く「作者のミス」と言うべきでないという立場を採るテクスト論者だから、その一パーセントが重い。実際、作者のミス（と思われるさまざまな要因）を解釈に組み込んだ方が面白く読めることもあるだろう。私が標榜している

「テクストはまちがわない」という立場はそういう意味だ。
そこで、石神が靖子の交際相手に嫉妬を感じていたことを解釈に加えるべきではないかと考えてみよう。そう言えば、石神は富樫の死体を見ながらこう思っていた。物語もまだはじまったばかりのところだ。

こういう男に靖子は惚れたのだなと石神は思い、小さな泡が弾けるように嫉妬心が胸に広がった。彼は首を振った。そんな気持ちが生まれたことを恥じた。

靖子をストーカーしていた「証拠」を残すために工藤邦明と会っているところを写真に撮るときにも、石神は「嫉妬心に駆られつつ、彼はシャッターを押した」とある。石神は靖子の相手に本気で嫉妬していて、携帯電話について嘘が見やぶられやすい供述をして、最後には靖子に嫌疑がかかるように仕組んだのではないだろうか。そうすると、靖子の自首を知った石神の慟哭は、靖子への復讐が成就したことへの喜びだったことになる。石神の慟哭は、靖子を救うことができなかった悔恨だとおそらくふつうは読まれているだろうから、解釈の変更を余儀なくされるわけだ。
ここで気になるのは、タイトルのことだ。雑誌連載から単行本にするときに、タイトルを『容疑者χ』から『容疑者χの献身』に変えたというのだ（この情報は文庫本に記載されている）。これはパラテクストだから、解釈に組み込んでもいい。『容疑者χ』の

「χ」とは、表向きの「容疑者」である靖子のほかに、隠れた「容疑者」がいるという含みを持ったタイトルだ。それに「献身」と付け加えることで、石神の靖子に対するこうした企みを隠蔽したのではないだろうか。あとは読者にまかせて。

いや、こうも考えられる。そもそも「容疑者」は靖子だったはずだ。ところが、石神のトリックによって富樫殺害は靖子にとっての「完全犯罪」となった。湯川からその「真実」を聞かされた靖子は石神の「深い愛情」を思い知らされる。靖子の自首は、石神の企みも知らない彼女からの愛の告白だった。それが、容貌がさえず、とうてい女性には選ばれないと思いこんでいた石神に対する靖子の「献身」の意味だ。少なくとも、石神にとってはそれはまさに「献身」だった。そうだとすると、靖子の自首を知った石神の慟哭は、石神の自分の悪意ある企みへの後悔と、靖子の愛情を知って工藤に勝った喜びの入り交じった複雑なものになる。

「テクストはまちがわない」という立場に立てば、ほかにも解釈の可能性はあるかもしれない。

探偵小説の読者

探偵小説はプロットに「真実」が隠されている。あるいは、プロットによって「真実」を巧妙に隠している。だからこそ、探偵小説の読者はたった一つの「真実」を知ろうとして結末へとひた走る。それは、たった一つの「作者の意図」を知ろうとする作家論パラダイムに似てはいないだろうか。さらに言えば、その「真実」は犯人の内面（＝動機）を伴っていなければリアリティーを持てないのではないだろうか。

内田隆三は、探偵小説において「ふつうには探偵が「正義を実現」したと理解される」ことについて、次のように述べている。

ここには二つの問題が伏在している。第一に、エルンスト・ブロッホのいうように誰もが匿名性を帯びて存在するという大衆化された社会状況がある。探偵小説の言説では、誰もが容疑者であり、殺意をもっているという、まさに内面的な真実の位相において、人びとの匿名性、互換性が立ち現れるのである。だが第二に、この互換性は探偵によってやがて解消される。犯人以外の容疑者は内面に殺意をもちながらも、外的な現実の位相において、自らはその欲望を実現しなかったのである。結局のところ、彼らは犯人のおかげで実行行為なくして自らの欲望の成就を見る。ジジェクによれば、探偵による解決は、これらの容疑者たちをその欲望にまつわる罪悪感から解放することになる。探偵はそこでスケープゴートである犯人にだけ罪があることを証明するからである。（傍点原文、『探偵小説の社会学』岩波書店、二〇〇一・一）

ここで、現代において犯罪が起きたときのことを考えてみよう。

誰かが罪を犯したとする。さらに証拠も揃っている、自白もしているとしよう。それでも、罪を犯した動機がわからない限り、捜査や裁判が終わったとは言えないようだ。よく「捜査本部は、動機の解明に全力を挙げている」などと報道されるのも、同じことだ。内面にこそ「真実」が宿ると信じる現代社会では、「動機なき犯罪」は受け入れがたいのだ。あえて言えば、「動機なき犯罪」には「動機なき犯罪」という名が与えられる。

何かが行われたときには、それがどういう行為であれ必ず動機があるはずだと考えるのが、現代社会のパラダイム＝暗黙の了解事項である。罪を犯した場合も同じなのである。私たちは、仮にその行為が受け入れがたくても、その動機を受け入れることで、その行為（犯罪）を社会の中に位置づけようとする。つまり、理解しようとするのである。「気持ちが理解できれば、その行為も理解できたことになる」というわけだ。そのことによって、いったんは乱された社会秩序を回復させようとするからである。これが内面に関する現代社会のパラダイムだ。

こうした内面の共同体が目に見える形で現れるのが入試国語、特に小説に関する設問だ。そこでは「気持ち」ばかりが問われる。いま仮に、少女が手を握りしめたとしよう。ある行為には必ず動機があるはずだ。現代社会ではそう考えるのだった。そうすると、すかさず「この時の少女の気持ちは次の四つの選択肢のうちどれか」と問われる。悲しかったのか、怒りがこみあげたのか、悔しかったのか、はたまた「ガッツ」だったのか。

こういう設問から「答え」を得るのは、文学的感性ではない。こういう状況（＝文脈）ではふつうの人はどういう気持ちになるかを問うているのである。つまり、感性の常識度を問うているにすぎないのだ。そのことによってのみ、「答え」を一つに決められるのである。入試国語の解法で「文脈を重視せよ」というのは、こういう意味においてである。このことはもう何度も書いてきたのでこれ以上繰り返さないが、これが内面に関する現代社会のパラダイムの一つの具体的な現れだと言える。

しかし、それはスケープゴートを一人作り上げることでしかないと、内田隆三は言うのだ。つまり、「探偵小説の言説では、誰もが容疑者」だと言うのである。これは探偵小説の読者から見れば、内面（＝動機）が複数存在することになる。そして、その複数の内面（＝動機）にそれぞれリアリティーが感じられなければ、探偵小説は成立しないだろう。当然、解釈も複数存在することになる。ところが、結末を迎えると、「真実」は一つだったことにされてしまう。つまり、内面（＝動機）も解釈も一つしかないことにされてしまうのである。

しかし、解釈の更新という形で誰かがその欺瞞を暴くだろう。一つの行為には一つの内面（＝動機）が対応していると考えるパラダイムにあっては、解釈の更新は新しい内面（＝動機）の発見となる。間主観的な内面の共同体が、個別的な解釈の更新によって食い破られていくのだ。しかし、もともと小説は解釈の更新を許すジャンルだという社会的な共通認識がある。その結果、内面の共同体は常に未完のまま、来るべき内面の共同体を待ちこがれなければならない。内面の共同体は、間主観性と個別性とが共存する奇妙にねじれた形で形成されるのである。

考えてみれば、「終わり」によって小説の全体（＝内面）を手に入れようとする読者は、探偵小説の読者と同じではないだろうか。探偵小説の読者はたった一つの「真実」（＝内面）を手に入れようとする。だとすれば、あらゆる小説の読者は探偵小説の読者なのである。だから、近代文学は終わらない。それは、近代文学の読者が終わらないということだ。

第九章

主人公の誕生

ヴァージニア・ウルフから

ヴァージニア・ウルフ『自分ひとりの部屋』（片山亜紀訳、平凡社ライブラリー、二〇一五・八）から始めよう。

ケンブリッジ大学での講演を元にして一九二九年五月に刊行された、一人の女性が語るスタイルの小説である。「女性が小説を書こうと思うなら、お金と自分ひとりの部屋を持たねばならない」という一節から、かつてはフェミニズム小説のはじまりのように位置づけられていた。もちろんそれはまちがっていないが、いまは単なるフェミニズム小説とは読まれていない。これは近代小説の起源と女性との関係について考えた本だ。「翻訳」であれ「不出来な小説」であれ、女性がイギリスでものを書くことで報酬を得ることができるようになったのは一八世紀からだった。「こうして十八世紀末に一つの変化が起きたのでした。（中略）すなわち、中流階級の女性がものを書き始めたのでした」と。では、なぜ女性はこの時代に詩でもなく戯曲でもなく、小説を書いたのだろうか。それは、女性が作家になろうとする時代、小説だけがジャンルとして歴史が浅かったので女性が参加できたからだと、ウルフは言う。いわゆる一九世紀リアリズム小説のことである。

しかし、現在においても「小説＝新奇なもの《ノヴェル》」（「　」でくくったのは、この言葉がぴったりだとはわたしが思っていないしるしです）、あらゆる形式の中でもいちばん柔軟なこの形式は、女性の用途にぴったり合っていると本当に言えるのでしょうか？

この意味は、ジェイン・オースティンに関する評価を参照すればわかる。ウルフはジェイン・オースティンを一九世紀の女性作家として高く評価しながらも、当時の中流階級の男性がふつうにやっていたことが何一つできなかったと述べている。彼女は一人で出歩くことも、旅行することも、乗合馬車に乗ってロンドンを走ることも、レストランで一人で昼食を取ることもできなかった。

事実、イングランド南部の長閑な田園地帯で暮らしたジェイン・オースティンは、イギリスの中産階級の家庭を書き続けた。そして、家庭を書くことでみごとに時代を写し取って見せた（大島一彦『ジェイン・オースティン「世界一平凡な大作家」の肖像』中公新書、一九九七・一）。これが現代のジェイン・オースティン評価だろう。しかし、ジェイン・オースティンの小説が当時の男性作家の小説とちがっていたことは事実である。

ウルフはジェイン・オースティンについて、次のように述べている。

でもたぶん、ジェイン・オースティンは手に入らないものは欲しがらない性格だったのでしょう。才能と状況がぴったり一致していました。

このやや皮肉混じりの記述の結論はこうだ。ジェイン・オースティンは「男性が書くようにではなく、女性が書くように書いた」のだと。では、「男性が書くように」書くとはどういうことだろうか。それがウルフの「小説《ノヴェル》=新奇なもの」という言葉への違和感として現れている。これが近代小説の起源に関わっているのだ。

大橋洋一は、近代小説の誕生をコロンブスの大航海と結びつけて説明している。中世までは、ある出来事であっても個人的な体験であっても、それを聖書などに裏づけされた権威によって「アレゴリカルな解釈のできる人間」がいればそれでよかった。しかし、コロンブスの大航海以降は、それではすまなくなった。少し長いが引用しておこう。

ところがコロンブスの航海ののち、意味づけができないものが、どんどん西欧に入ってくる。もちろん、新世界での出来事を、過去の権威ある書物に引き寄せて解釈する試みは決して途絶えたわけでもなく破綻を宣告されたわけでもなかったのですが、にもかかわらず、過去の権威ある書物では対応しきれないことがでてくる。ヨーロッパ人には未知のものが伝えられてくる。たとえば探検家が新世界にゆき、その地で見慣れないものを発見する。原住民にきいてみると、これはトマトでありポテトであるという。そういうはじめてのものがヨーロッパに伝えられたときの衝撃は容易に想像できます。つまり過去の権威は完全無欠ではないとわかってしまった。かわりに、「原住民にきいたら、これはポテトだといった」という個人的な体験に、最大最高の価値が付与されるようになります。わたしはそこに行ってきた。見てきた。聞いてきた。こうした体験を報告することによって、その人間はいわば権威の拠り所となったのです。

かくしてみずからを権威の拠り所とする近代的作者が、新世界の「発見」とともに誕生したのです。ただ、ここで誤解のないように付け加えれば、これは、西欧では小説家の先祖が、みな、新大陸の探検家か冒険家あるいは旅行者であるということではありません。そうではなくて、新世界の消息を伝えるというかたちで、経験だけを拠り所とする文化領域が新たに誕生し、それが、自己のみを権威の拠り所とする近代的作者の可能性を導入することになったということです。（『新文学入門　T・イーグルトン『文学とは何か』を読む』岩波書店、一九九五・八）

壮大な見取り図だが、これが近代における「個の人生」が「文学の参照事項となった」道筋ということになる。さらに言えば、近代において「経験だけを拠り所とする文化領域が新たに誕生」しただけでなく、そのことでさらに「経験」によって生じる個人の内面の変化を「拠り所とする文化領域が新たに誕生」したことをも意味する。近代における「個の人生」の発見は、主人公に起きたある出来事を、個人があたかも自分の体験であるかのように追体験する楽しみを読者に開いたのだ。これは、近代小説が主人公を必要とする理由でもある。

いまやナショナリズム論の古典となったベネディクト・アンダーソン『定本　想像の共同体　ナショナリズムの起源と流行』（白石隆・白石さや訳、書籍工房早山、二〇〇七・七）は、想像の共同体である国民国家と小説との関係について興味深い説明をしている。近代国家の国民が、同じ国の国民が同じ時間に同じ体験をしているという想像ができるようになったのは、新聞という「一日だけのベストセラー」が普及したためだが、一八世紀に成立した近代小説も相応の役割を果たしたと言う。一九世紀的リアリズム小説が発展させた、いわゆる神の視点からいくつもの出来事が並列して書かれる近代小説の読者は、お互いに知らないもの同士である登場人物の体験の同時性をリアリティーをもって読んだだろうと言うのである。これは想像の共同体を支える内面の共同体を形成しただろう。

ここで、ヴァージニア・ウルフになって立ち止まってみよう。近代小説の起源は「未知のもの」=「新奇なもの」を報告することから始まったと言う。知らないもの同士に同時性を感じられるのが近代小説だと言う。いずれもすばらしい説明だが、近代小説にとって一つ重要なことを忘れている。それは、大航海時代を体験できたのは男性だけだったという厳然たる事実である。一八世紀の中産階級において、知らないもの同士の社会を生きることができたのは男性だけだったという厳然たる事実である。

したがって、遠く大航海時代を起源として生み出された、また知らないもの同士の社会で生み出された「個の人生」は男性だけの人生だった。これがウルフが「小説＝新奇なもの《ノヴェル》」という言葉に違和感を抱いた理由だろう。ウルフの生きた時代、「新奇なもの」を体験できて、知らないもの同士を知ることができたのは男性だけだったからである。近代小説における男性主人公の誕生である。

> もし共通の居室からしばし逃げ出して、人間をつねに他人との関係においてではなく〈現実〉との関連において眺め、空や木々やそれじたいをも眺めることができたなら――。（中略）もし凭《もた》れかかる腕など現実には存在しないということ、ひとりで行かねばならないということ、わたしたちは男女の世界だけでなく〈現実〉世界とも関わりを持っているのだということを事実として受け入れるのなら――。

ウルフが仮構したシェイクスピアの妹も、兄のシェイクスピアのように書くことができただろうと言う。つまり、近代の女性作家が誕生しただろうと暗示している。「年収五百ポンドと自分ひとりの部屋」を持っていない女性になってみなければ、近代小説の起源の意味は見えてこないのだ。

この道筋に沿って近代日本について考えてみたい。明治維新以降の近代日本には、西洋から到来した「新奇なもの」が溢れてはいなかっただろうか。それを日本の近代小説はどのように受け入れただろうか。日本の近代小説の起源について考えることは、日本の近代小説の読者について考えることでもある。

主人公は読者が作る

近代文学において主人公の問題系が本格的に自覚されたのが、近代日本はじめての文学理論書である坪内逍遙『小説神髄』(松月堂、一八八五・九〜一八八六・四)によってであることはよく知られている。逍遙は、当時の日本思想界と社会を覆っていた進化論パラダイムにおそらく半ば自覚的に半ば無自覚的に乗って、戯作の「改良進歩」によって西洋流の「小説《ノヴエル》」を作り出すしかないと考えた。そこで逍遙は、近代小説のテーマとしては「人情＝心理＝内面」を設定し、それを書く方法としては「模写」を提唱した。まちがいなく、一九世紀的リアリズム小説である。その上で、実際的な小説作法として「主人公の設置」を提言した。

物語にある種のまとまりを作り出す装置こそが主人公だと、若き日の逍遙はすでに論じていた。逍遙は主人公という概念を近代日本に輸入し、紹介したはじめての文学者だった。逍遙は『小説神髄』の終わり近くに「主人公の設置」という章をわざわざ設けた。いまその章の冒頭の一節を引用しておこう。

主人公とは何ぞや。小説中の眼目となる人物是なり。或《ある》ひは之を本尊と命《なづ》くるも可なり。主人公の員数《かず》には定限なし。唯一個《ただひとり》なるもあり、二個《ふたり》以上なるものあり。されど主人公の無きことはなし。蓋《けだ》し主人公欠けたらむには、彼の小説にて必要なる脈絡通徹《みゃくらくつうてつ》といふ事をばほとほと行ふを得ざればなり。（岩波文庫）

もっとも重要なのが最後の一文であることは言うまでもない。小説は主人公がいなければ「脈絡通徹」（一貫した筋を通すこと）ができないと言うのである。しかも逍遙は、主人公を単なる小説作法上の問題としてでなく、その思想的な意味をも理解していたと思われる節がある。

畢竟《ひっきょう》小説の旨《し》とする所は専《もっぱ》ら人情世態《せたい》にあり。一大奇想の糸を繰《く》りて巧みに人間の情《じょう》を織做《おりな》し、限りなく窮《きわま》りなき隠妙《いんみょう》不可思議なる原因よりして更にまた限りなき種々《しゅじゅ》様々なる結果をしもいと美しく編《あみ》いだしつつ、この人の世の因果の秘密を見るが如くに描き出し、見えがたきものを見えしむるを本分とはなすものなりかし。

ここで逍遙は、「原因」と「結果」との関係を「因果の秘密」と見ている。これはよく言われるように、歴史が成立する原理でもある。岡田英弘は「直進する時間の観念、時間を管理する技術、文字、因果律の観念」が「歴史」を成立させる用件だとしている（『歴史とはなにか』文春新書、二〇〇一・二）。

　歴史の成立には、もう一つ、ひじょうに重要な条件がある。それは、事件と事件の間には因果関係があるという感覚だ。これこれこういう事件は、時間ではそのまえにあったこれこれこういう事件の結果として、あるいはその影響で、起こったというふうに考える。（中略）こういう条件のないところには、本書で問題にしている、比喩として使うのではない、厳密な意味での「歴史」は成立しえないということになる。現に世界の文明のなかには、歴史という文化要素がまったくないか、あっても弱い文明がいくらもある。

たとえば日常生活は、小林秀雄流に言えば、飴のように延びきった時間によって成り立っている。乱暴に言えば、自然主義文学の論客たちは、つまらないなど思想によって日常生活を意味づけるのではなく、日常をそのまま書くのが文学だと主張した。飴のように延びきった時間、すなわち直進する時間は意味あるまとまりを持たない。それは「因果関係」を導入しないからである。

　改めて確認するまでもなく、因果関係とは直進する時間のある時点の出来事を「原因」と見なし、その後のある時点に起きた出来事を「結果」と見なす思想によって成り立っている。因果関係は直進する時間にはじめから組み込まれているわけではなく、多くの場合「結果」の大きさに注目して、それ以前に起きた出来事を「原因」とするような、ある思想的な枠組みが作り出すものだ。何を原因とみなし、何を結果と見なすかは、その時々の思想の枠組みが決める。

ここで、第六章で引用した黒崎宏の説明を再度引用しておこう。「「原因」として何を挙げるかは、**客観的**に決まっている訳ではない、という事を物語っている。「原因」として何を挙げるかは、基本的には、それに係わる**人間の問題意識**に依存するのである」(ゴチック体原文、『ウィトゲンシュタインから道元へ』哲学書房、二〇〇三・三)。因果関係はそれを読む人間の思想によって決定されるわけだ。

このようにして飴のように延びきった時間を切断し、その断面を「因果関係」で新たに縫い合わせる。これは思想によってのみ可能な仕事だから、そこに「内面」と呼んでもいいような厚みを持った主体が立ち上がる。そのような思想を持った人物が主人公に見えるのではないだろうか。フーコー流に言えば、主体化するとは社会の規範を内面化することだが、人間の主体はただ受け身ばかりではない。飴のように延びきった時間を自分の時間として内面化する力が、人間を人間たらしめている。もちろん、その力を働かせる主体は社会を内面化した結果形成されたものでもある。その意味で、世界と「内面」とは相互的な関係にある。

歴史記述に関して言えば、何を「原因」として挙げるかは歴史記述者の歴史観の問題である。それを真っ当な歴史観と判断するかどうかは、ある地域のある時代のパラダイムの問題である。歴史の記述が「歴史」として認識されるか否かは、地域や時代のパラダイムに左右されるということだ。「また限りなき種々《しゆじゆ》様々なる結果」と書いた逍遥は、このことを理解していたように思える。飴のように延びきった時間から、主人公がある思想によって様々な「因果関係」を取り出す＝作り出すのが主人公の役目だと逍遥は考えたのである。

いま歴史について論じたが、これはまさしく物語のことだった。「歴史は物語である」とよく言われるが、歴史はこうしたプロセスを経て物語になるのである。これならば、自由に因果関係を導入して小説から様々な物語を作り出すのは、近代読者のもっとも重要で、もっとも楽しい仕事だということがわかるだろう。その時、読者はある人物に因果関係を統御する役割を与える。それが主人公である。すなわち、主人公は読者が作るのだ。

もっとも、主人公（と読者）が作り出した「因果関係」がどういう思想によっているかは、たいていの場合とてもわかりにくい。それは物語の構成上主人公の作り出した「因果関係」が「自然」に見えるからだが、逆に言えば、「自然」に見える「因果関係」が物語の構成に見合っているように見えるからだ。そうだとすれば、物語それ自体がどのような思想によって物語として成立しているのか、それ自体もとてもわかりにくいことになる。

たとえば、少し以前までの恋愛物語であれば、偶然出会った二人が結婚にたどり着けばハッピーエンドに読めた。二人が出会った「原因」が結婚という「結果」をもたらしたと見なすことで、偶然が必然に見えるのである。「因果関係」とは偶然を必然に変換する装置である。たいていの場合、そこで私たちの思考は止まってしまう。

しかしこの例の場合、恋愛とセックスと結婚を三位一体化して、「自由恋愛」を結婚と結びつけて家制度に回収するための思想、すなわち近代的な恋愛観であるいわゆるロマンティック・ラブ・イデオロギーを物語とその読者が共有していない限り、ハッピーエンドとは読めないはずなのだ。「結婚は人生の墓場である」と信じている読者には、この結末は悲劇でしかないだろう。ハッピーエンドと読めない読者からしか、ハッピーエンドと読む思想は見えてこない。これはすぐれた読者になる方法でもある。

二人の主人公

読者にとって誰が主人公かは自明なことだろうか。そうでもないようなのだ。そこで、近代小説の主人公誕生の歴史にそって考えてみたい。

近代文学は奇妙な形で主人公を手に入れた。二葉亭四迷『浮雲』である。小森陽一は、近代的知識人の原型ともされてきた『浮雲』の内海文三は「反主人公《アンチ・ヒーロー》」だとする。『浮雲』以前の物語における主人公の資格は、社会的に成功して女性に惚れられることだった。したがって、はじめから「免職」した男として登場し、物語が進行するにつれてお勢にも見捨てられそうな文三は、それまでの文学を参照すれば主人公にはなり得なかった。内海文三の「免職」と女性に惚れられない設定は物語として同時代的なリアリティーを持ち得なかったので、二葉亭四迷は、後半にいたって、文三の社会的条件ではなく、自意識にリアリティーを与える新しい試みに挑戦しなければならなくなったのだろう。

小森陽一は、こう結論づけている。

> 同時代の主人公《ヒーロー》が持つあらゆる要素を拒否することで生まれた内海文三は、ここで「反主人公《アンチ・ヒーロー》」としての独自の構造と構成力を獲得するのである。『浮雲』という作品が、同時代の小説の水準を大きく抜き出ることができた内在因は、「反主人公《アンチ・ヒーロー》」文三と、彼に即して物語を語り進める独自な口調を持った語り手の登場にあった。
> （『文体としての物語』筑摩書房、一九八八・四）

内海文三が主人公の資格を具えていない理由はもう一つあると、小森陽一は言う。すでに第七章で示したように、現代ではロトマンというソ連時代の文学理論家の説に従って、主人公とは〈ある領域から別の領域へ移動する人物〉だとする説明が一般的である（『文学と文化記号論』磯谷孝編訳、岩波書店、一九七九・一）。たとえば、ＮＨＫの「連続テレビ小説」は〈少女から女へと移動（成長）する人物〉を数十年繰り返して放映している。これが、ロトマンの言う主人公の典型である。この説に従えば、『浮雲』の主人公はお勢だと言うのだ。

こういうことだ。何でも新しいものにかぶれる「根生《ねおひ》の軽躁者《おいそれもの》」であるお勢は文三に恋などしておらず、お勢の気持ちが本田昇に傾くのは、今度は本田昇にかぶれただけなのである。だから、自分に恋していたお勢が心変わりをしたと感じるのは、文三の「妄想」でしかない。お勢は〈内海文三的な学問に価値を置く領域から、本田昇的な立身出世に価値を置く領域に移動する人物〉なのである。したがって、主人公の資格を具えているのはお勢だと言うのである（『構造としての語り』新曜社、一九八八・四）。

お勢こそが主人公の資格を具えているとする『浮雲』理解が、内海文三に近代的知識人の「原像」を見てきた『浮雲』研究に与えたインパクトは大きかった。しかし、『浮雲』後半になって小説の前面にせり出してくる内海文三を主人公と見なさないこともむずかしい。内海文三を主人公としないならば、それ以後の近代文学は「反主人公」ばかり書いてきたことになってしまう。

おそらく私も含めて、「反主人公」という言葉が魅力的すぎて、内海文三は主人公ではないと理解してしまったのだろう。しかし、小森の言いたかったのは、文三は「反主人公」という名のまったく新しい「主人公」だったということにちがいない。

そこで、お勢のように〈ある領域から別の領域へ移動する人物〉を「**物語的主人公**」と呼ぶことを提案したい。小説にはもう一つの主人公の型があるからだ。それは〈〜について考える人物〉である。内海文三はもっぱら〈お勢について考える人物〉である。こうした〈〜について考える人物〉の典型は漱石文学後期三部作の近代的知識人と呼ばれてきた主人公たちで、須永市蔵（『彼岸過迄』）、長野一郎（『行人』）、「先生」（『こころ』）である。こうした人物を「**小説的主人公**」と呼ぶことを提案したい。「物語的主人公」＝変化する主人公、「小説的主人公」＝思索的主人公と言えば平凡にすぎるだろうか。

二人の主人公はいくつものバリエーションを生む。基本的に、物語的主人公は「新奇なもの」を体現しており、小説的主人公は驚きをもってそれを観察し、それについて思索することで、「新奇なもの」をよく知らない読者の読書行為をある方向へ誘導する。いずれにせよ、近代小説にとって小説的主人公は生まれるべくして生まれたのである。そして、二人の主人公は、個性的な主人公と常識的な主人公、進歩的な主人公と保守的な主人公、正義感の強い主人公と現実的な主人公などなどいくらでもバリエーションが生まれてくる。

『浮雲』は主人公の作り方をまちがえたのではなく、こうした二人の主人公を作り出していたのだ。この点において、『浮雲』を近代文学史上に位置づけ直すべきだろう。

「新奇なもの」への誘い

もう少し『浮雲』について考えたい。そのために、『小説神髄』に関するすぐれた研究書から、前節で引用した『小説神髄』の「主人公の設置」について解説した一節を引いてみよう。

小説を考察する、この初発点に立って見れば、かれの言う主人公とは語り《ナレイション》の脈絡を失わないための、物語機能の一つであった。出来事と出来事とは、主人公の運命や言動や心情を媒介にして関係づけられる。これを欠けば、ばらばらな挿話に分解してしまう。このように物語の機能面から主人公をとらえる見方は、現在再び重要性を増してきたと言えるが、同時にかれは、ある作中人物を主人公たらしめる性格条件を明かす必要を感じたのであろう。そこでかれはこれを本尊と呼び変えた。読者がおのずからこれを憬慕し、その行く末を知りたく思うような、魅力的な人物を登場させること。「故《ゆえ》に脚色《しくみ》を巧妙《こうめう》にものする事《こと》の外《ほか》に読者《どくしや》の注意《ちゆうい》を促《うな》がすべき卓越非凡《たくえつひぼん》の本尊《ほんぞん》をば設置《せつち》なすこと必要《ひつえう》なり」。（亀井秀雄『「小説」論　『小説神髄』と近代』岩波書店、一九九九・九）

亀井秀雄の説明によれば、坪内逍遙が主人公を「設置」すべきだと考えた理由はこうだ。ポイントは、物語が成立するリアリティーは主人公の内面に託されていることである。「出来事と出来事とは、主人公の運命や言動や心情を媒介にして関係づけられる」という亀井秀雄の説明は、出来事と出来事との因果関係は主人公の内面によって保証されるということにほかならないからだ。

現実世界においては、ある出来事とある出来事の間の因果関係には答えが複数あり得る。それをたった一つの因果関係しかないかのように物語としてまとめ上げるのが、主人公の内面なのである。その主人公の内面に感情移入できないとしたら、物語は読者にとってバラバラな断片になってしまう。だから、主人公は読者にとって魅力的な人物でなければならない。坪内逍遙はそこまで理解していたと言うのだ。

主人公の内面は物語を作り出し、また同時に、読者をある一つの物語に拘束する働きを持つ。その時、読者は物語を支える因果律が主人公の内面によって規定されていることを忘れる。いや、そもそも物語が因果律によって成立していることを忘れる。このことが、小説が物語によって構成されていることをも忘れさせる。

そこで、読者はこれらすべてを主人公のせいだと思う。このとき、主人公はあたかも実在の人物のように見えている。逆に言えば、読者にとって主人公が実在の人物のように見えるためには、これだけのプロセスが忘れられていなければならない。「主人公に魅力がない」といった評はこうして成り立ってしまう。それはその小説の問題なのに。

魅力的な主人公は、小説をめぐるさまざまな技術や原理を忘れさせてしまうだけの力を持つのである。その結果、主人公の内面が自立したリアリティーを持ち、読者は主人公に自己を同一化させるようになる。そこで、小説を読むことは主人公を読むことになってしまった。この感性はいまも私たちを拘束している。

坪内逍遙の時代、一般読者にはこれ以外に小説の読み方はできなかっただろう。しかし、これさえもが小説の新しい技術であり、また小説の新しい読書の技術だった。だからこそ、坪内逍遙は主人公の「設置」をわざわざ提案したのだ。これが小説のリアリティーが主人公のリアリティーとほぼ同じことだと理解される仕掛けである。坪内逍遙が提案した主人公の「設置」は、なるほど小説に革新的な新しさを持ち込んだが、同時にずいぶん多くのものに目隠しをしたようだ。

実は、『浮雲』は「未完」か「終わっている」のか、決着は付いていない。「未完」だとして、その理由を構成と文体の問題として論じる立場も多くある。その説明を大雑把にまとめれば、以下のようなものである。

前半では江戸的な感性を持った語り手が、明治維新後に憧れの職業となった官吏の内海文三をからかうかのように書いていたが、後半になって語り手は内海文三の内面に入り込んでしまって彼を相対化できなくなり、前半と後半との文体上の齟齬を解決できずに、二葉亭四迷は筆を擱《お》かざるを得なかったと説明されてきたのである。前半は内海文三を相対化する語り手が語り、後半は内海文三の内面を語る語り手が語っていることになる。

いま「語り手」という言葉を何げなく使ったが、『浮雲』においてはこれもまた難題の一つだった。『浮雲』の語り手の質と感性がよく表れている、有名な一節を冒頭近くから引用しておこう。役所をクビになった内海文三が、本田昇と話しながら園田家に帰る場面である。

「ダガ君の免《めん》を喰《くつ》たのは弔《ちょう》すべくまた賀《が》すべしだぜ
「何故《なぜ》
「何故と言って君　これからは朝から晩まで情婦《いろ》の側《そば》にへばり付《つい》ている事が出来らアネ、アハアハアハ
「フフフン　馬鹿を言給《いい》うな
ト高い男は顔に似気《にげ》なく微笑を含み　さて失敬の挨拶も手軽《てがる》く、別れて独り小川《おがわ》町《まち》の方へ参る。顔の微笑が一《ひと》かわ一かわ消え往《ゆ》くにつれ足取《あしどり》も次第次第に緩《ゆるや》かになって　終《つい》には虫の這うようになり　悄然《しょんぼり》と頭《こうべ》をうな垂れて二、三町ほども参ッた頃　ふと立止《たちどま》りて四辺《あたり》を回顧《みま》わし駭然《がいぜん》として二足三《ふたあしみ》足立戻《あしたちもど》ッて　トある横町へ曲り込んで角から三軒目の格子戸作りの二階家《や》へ這入る、一所《いっしょ》に這入ッてみよう（傍線、石原）

この「一所に這入ッてみよう」という一句によって、研究者の間では『浮雲』中で最も有名な場面かもしれない。近代小説の語り手はふつう数学上の「点」のように、小説中に位置は持つが面積は持たないと考えられている。つまり、姿は見えない。しかし、この語り手は「一所に這入ッてみよう」と姿を見せてしまった。

この語り手を二葉亭四迷その人とするわけにはいかない。そこで亀井秀雄は、これを「作中人物のだれからも相対的に独立した無人称の語り手」と呼んだ（『感性の変革』講談社、一九八三・六）。姿は見せているが、登場人物でもないという意味合いだろうか。そして、この「無人称の語り手」について、次のように説明している。

三たび言えば、その語り口は、「私」性として自己把持されていただろう作者の感性からしばしば逸脱し、みずから調子づいてゆき、しかも、見聞した事柄を正確に誠実に伝える自覚からはかなり縁遠かった。それは、もっぱら読者に向けられていた。ということは、つまり、読者と共通の関心、いや共通の感性を生きようとしていたことにほかならない。読者と共通の感性を背負って、作品の空間を生き、作中人物にとっては透明な存在であったけれども、それでもやはり作品空間に自分の位置を選び、みずから選んだ位置に拘束されざるをえない一個の語り手だったのである。

この「無人称の語り手」は江戸的・下町的感性の持ち主で、冒頭部では明治の山の手エリートの象徴だった役人を「しかし日本服でも勤められるお手軽なお身の上、さりとはまたお気の毒な」（当時、役人は洋服を着る規則になっていたが、洋服は高価だったので下級の役人はそれを免除されていた）などと、登場人物の外の位置からからかい続ける。その役人の一人が内海文三だったのである。

二葉亭四迷がこの「無人称の語り手」の「無責任」で「卑俗」な感性を読者と共有できると判断したのは、彼が「当時の読者の関心や感性をその程度にしか見積ることができなかった」からだと、亀井秀雄は指摘している。これが『浮雲』第二篇までの「無人称の語り手」のあり方だった。しかし、これは西洋から入ってきた「新奇なもの」が当たり前になった現代の感覚からの評価ではないだろうか。

フランスの社会学者、ピエール・ブルデュー『ディスタンクシオン　社会的判断力批判』(I・II、石井洋二郎訳、藤原書店、一九九〇年)は、社会は趣味(「好み」というような意味の「文化資本」である)によって階級化され、また趣味が階級を再生産もしていると論じている。「ディスタンクシオン」はふつう「卓越化」と訳されるが、訳者でもある石井洋二郎は〈品位のある趣味による差別化〉というほどの意味に取っておいた方がわかりやすいと述べている(『ブルデュー『ディスタンクシオン』講義』藤原書店、二〇二〇・一二)。

ブルデューの論のポイントは、趣味は社会階層によって作られるから、社会階層によって異なるという点にある。ブルデューのあげる例を乱暴に簡略化して示すと、キリスト教文化圏では、「宗教画と枯れ葉のどちらが美しく写真に撮れるか」という質問に、学歴がかなり低い相に属する人々は宗教画と答え、学歴のかなり高い超エリート層に属する人は枯れ葉と答えるのだという。

後者は一ひねりするのが高級な趣味だと認識しているのである。訳がわからないようにいかにも難解に作製されたいわゆる前衛芸術はエリート用の芸術なのだ（ジャン・ボードリヤール『芸術の陰謀　消費社会と現代アート』塚原史訳、NTT出版、二〇一一・一〇）。内容よりも表現に着目するのはエリートの好みなのである。これが卓越化と訳されたのは、エリートはこうした〈品位のある趣味〉を理解（したふりを）する階層として他を排除することで、自らの卓越性を誇示し、社会的階層を保とうとしているからだ。

ベネディクト・アンダーソンは、植民地の「ナショナリスト・インテリゲンチャ」には「若い」という特徴があると言う（『定本　想像の共同体』）。

植民地では事情はまるで異なっていた。青年とは、なによりもまず、かなりまとまった数で西欧教育を受けた最初の世代を意味し、それによってかれらは、両親の世代からも、また植民地支配下にある同世代の人々の大半からも、言語的、文化的に区別されていた。

明治維新以降の近代日本は、西洋の文化的植民地だと言ってもいい。特に、教育の断絶が持った意味は大きかった。近代日本の学校は西洋の学問を学ぶ洋学校だが、芸術系の美術や音楽でも西洋美術や西洋音楽を学ぶ。それは、西洋的な美を美しいと感じる感性＝趣味の教育である。だから、特に明治時代には学歴のある知識人の若者とその他の人々との「区別」は顕著に表れたはずだ。『浮雲』は青年たちの物語でなければならなかったし、坪内逍遙も『当世書生気質』で、当時の教育を受けた青年たちの物語を書いたのである。明治時代にあっては、青年であることそれ自体に大きな意味があった。

しかし、『浮雲』の二葉亭四迷は、自分を知識や感性や趣味で卓越化できるなどと思える時代には生きていなかった。『浮雲』は明治になって出現した役人という「新奇なもの」を書いた小説だったから、読者である「人々の大半」を何とかしてこの新しい小説世界に導き入れなければならなかった。それには、彼ら役人の趣味をこそからかい、その卓越性を読者の地平まで貶めるのが近道だったはずだ。

二葉亭四迷は「当時の読者の感性をその程度にしか見積もることができなかった」のではなく、あえてそのように振る舞う語り手を設定したのだ。「無人称の語り手」とは、亀井秀雄自身が言うように「当時の読者」の同伴者だった。この同伴者は「読者と共通の関心、いや共通の感性を生きようとしていた」。読者に感情移入させるだけのために、これだけ苦心しなければならない時代があった。私たち読者がいま近代小説に自然に感情移入できるとしたら、それは読書だけでなく、文学教育を通して、近代の日本人が何十年もかかってその感情移入の技術を繰り返し繰り返し身体に染みこませた結果だろう。『浮雲』から二十年。内海文三が自立した主人公になれる時代がやってきた。

第一〇章 「女性」を発見した近代小説

「女性の発見」と漱石的主人公

内海文三のような思索的主人公こそは、漱石的主人公だと言っていい。漱石的主人公は、内海文三の末裔である。この時代に主人公に関する実験を繰り返した漱石文学を手がかりに主人公問題を考えたい。

漱石が主人公の問題系を深く考える契機となったのは『坑夫』を経て、『三四郎』を書いたときにちがいない。その経緯を説明しておこう。

そもそも、漱石的主人公はなぜ小説的主人公＝思索的主人公として特徴づけられるのだろうか。それには進化論がかかわっているが、このことはこれまでも何度か書いてきたので、ごく簡単に確認しておこう。

明治の初期、日本に生物学、特に進化論が大変な勢いで入って来ると、生物に雄・雌があるならば人間にも男・女があるではないかと、「両性問題」という問題が登場した。もちろん、注目されたのは女性である。近代日本の男性知識人の認識の地平に「女性」が姿を現したのは、進化論を通してだったのである。まさに「女性の発見」だった。澤田順次郎の「両性問題」の範疇に入る本から引用しておこう。

吾人は、前章に於て、男子と女子との大体の差異を説明したり。然れども、男子と女子とは、本来、絶対に相異るものにあらで、等しく、これ、人類なり。男といふも、女といふも、単に、人類に於ける性の別にして、若し、その性の如何といふことを取除きなば、両者、共に、同じ人類として取扱はれざるべからず。（大鳥居弃三・澤田順次郎『男女之研究』光風館書店、一九〇四・六）

まちがったことは言っていないのだが、驚かされるのは〈男女ともに同じ人類である〉という趣旨のことをわざわざ強調しなければならないことである。この記述の背後には、〈男女ともに同じ人類である〉とは思っていなかった多くの読者が想定されるからだ。ここでは「女性は人類か否か」が「問題」とされているのである。

このように「女性を発見」した明治人の関心は、まず男女の体の違いに向かった。進化論が出発点だったから、当然だったのかもしれない。こうした関心がいわゆる良妻賢母思想と相まって、〈男と女は体の仕組みが異なりできることも違うから、社会上の務めも違わなければならない〉と、男は外で働き女は家を守るという思想が進化論という「科学的な根拠」をもった言説として語られるようになった。男女の体の違いが科学的＝生物学的に可視化された結果だった。以下に引用するのはその典型的な言説である。

人には男女の別がある、人に男女の別がある以上は成すべき本分にも別がなければならぬ（中略）男子の本分は外にありて一家維持の資料を得社会公益のために働く事で、女子の本分は家庭の中心となり夫を慰め子女を教育して行くことである
（中村公木編『実地精査　女子遊学便覧』女子文壇、一九〇六・八）

明治三十年代にほぼ形ができあがった良妻賢母思想は、江戸時代の儒教的な古い思想であり、同時に明治の進化論という学問的な背景をもった新しい思想でもあった。近代文学は資本主義の申し子だから、常にフロンティア、すなわち未知の領域を必要とする。「両性問題」の発見によって、近代文学は女性という名のフロンティアを手にしたのである。このフロンティアは、明治三十年代になると二つの文学ジャンルを生み出した。家庭小説と女学生小説である。

明治三十年代頃からは『婦人の心理』というような、女性の心に関する本も数多く刊行されるようになった。正岡藝陽『婦人の側面』（新声社、一九〇一・四）には、「女は到底一箇のミステリーなり、其何れの方面より見るも女は矛盾の動物なり」という一節がある。男性知識人は、女性は統一的な自我を持つ存在とは認識していなかった。だから、女性は「謎」の存在となるしかなかった。『三四郎』の「主人公」である小川三四郎が、上京して同郷の先輩・野々宮宗八を東京帝国大学の研究室に訪ねたあとに池の端にしゃがんでいる場面で、里見美禰子が三四郎の前を不思議な動作をしながら通り過ぎ

ると、三四郎は一言「矛盾だ」とつぶやく。三四郎が口にした「矛盾だ」という言葉は、当時の男性知識人に共通する女性の見方だった。文学がこの「謎」を見逃すはずはない。こうして、「女性の謎」が近代文学の新たなフロンティアとなった。

漱石が入社した時期の朝日新聞社は、マーケットを下町の商人層から、現在の中間層の原型となった山の手の新興エリート層にシフトチェンジしようとしていた。この山の手の読者にふさわしい小説家として、夏目漱石を専属作家として迎えたのである。漱石が山の手の読者に向けて山の手を舞台とした小説を書き続けた理由はここにあった。

漱石文学のヒロインの多くは、明治三十年代に、おそらくはミッション系の高等女学校を卒業しているようだ。漱石は明治三十年代に大流行した家庭小説と女学生小説を意識しながら、それらを超えたポスト＝家庭小説、ポスト＝女学生小説を書いた。その中心的なテーマが「女性の謎」だった。この時代においては、「西洋流の教育を受けた女性」こそが「未知のもの」＝「新奇なもの」だった。

漱石文学の男性知識人たちは、当時最高の教育を受けたがために、「自己とは何か」という答えのでない問いに悩まされ続けた。この不安定な自我に安定した存在理由を与えてくれるのは「他ならぬこの私だけを愛する女性の存在」だが、男性知識人は「女性の謎」に悩み続けるしかなかった。

こうして漱石的主人公が誕生した。すなわち、「女性の謎」について考えつづける漱石的主人公＝思索的主人公は、近代という時代の歴史的刻印を強く帯びているのである。

それは、近代という時代が生み出した歴史的産物だった。

繰り返すが、漱石が主人公の問題系を深く考える契機となったのは『坑夫』を経て、『三四郎』を書いたときにちがいない。必ずしも物語的主人公と小説的主人公との組み合わせというわけではないが、小説には主人公が二人必要だと考えるようになったのではないかと思われる。これは、現代では小説作法のイロハかもしれないが、漱石の生きた時代はまだ小説の作り方自体が安定しておらず、試行錯誤の時代だった。漱石も、主人公の設定や位置づけにおいて試行錯誤を繰り返していた。

試行錯誤の時代

朝日新聞社入社以前の小説を見ていこう。

『吾輩は猫である』に主人公がいるか、という問いに答えるのはなかなか難しい。主要な登場人物と言えば珍野苦沙弥だが、彼は主人公たる資格を具えていないように見える。彼は全編同じような近代批判めいた持論と口から出任せ（これは読み解けばかなり大きな意味を持つ）を繰り返しているが、そこに統一感がないので、小説的主人公としての強度がない。また、彼こそは内海文三よろしく無題材的人物なので、物語的主人公ではさらにない。彼自身の言動が他の誰か（読者でもいい）によって、〈ある領域から別の領域へ移動する人物〉としての因果関係を構成することも難しいにちがいない。

『吾輩は猫である』は、全編を「猫」の目から人間を不思議な生き物として語った大きな異化表現と見なすことができる。「猫」はほぼ一貫して〈人間という謎について考えている〉ので、小説的主人公の萌芽と見ることもできる。一般に、『吾輩は猫である』は漱石の分身である英語教師・珍野苦沙弥を戯画化して書いた小説と理解されがちである。それはまちがっていないが、漱石の分身ということならばむしろ「猫」がそうだろう。『吾輩は猫である』には漱石の分身が二人いて、分身の一人をもう一人の分身が語っているのである。

見る自分と見られる自分、あるいは、語る自分と語られる自分。ふつうは、前者が小説的主人公で後者が物語的主人公になるだろう。「猫」は自分の語りを写生文だと言っているが、漱石は写生文を「大人が子供を見る態度」で書くものだと述べていた。大人は「猫」で、子供は珍野苦沙弥に相当する。『吾輩は猫である』の滑稽を生み出すのは、「猫」と珍野苦沙弥の価値観の微妙なズレである。

中学校の英語教師としてはやや常識を欠いた珍野苦沙弥と、それをやや常識的な位置から報告する「猫」。珍野苦沙弥＝個性的主人公と「猫」＝常識的主人公の組み合わせだと言っていい。この二人のズレから滑稽が生まれるが、当時の一般的な読者はそれがわかっただろうか。中学の英語教師という当時としては「新奇なもの」のどこを笑えばいいのか、「猫」がガイダンスを行っていたことになる。「猫」の目から見れば、珍野苦沙弥は物語は構成しないが、一貫して常識を欠いた言動をする人物としての統一性が生まれる。それが珍野苦沙弥を主人公たらしめている。観察してそれを語ることが読者に統一性を感じさせる方法を、漱石はこの時学んだにちがいない。

その「猫」は、彼自身の報告する話の登場人物（?）でもあるから、話の中にもズレが生まれていることになる。『吾輩は猫である』のズレは、いわば入れ子構造になっている。この両者がズレていなければ、そもそも主人公が「二人」である必要はない。すなわち、「二人で一人」とは二人で一人分のことしか言えないのではなく、二人で二人以上のことが言える状態を生み出すことなのである。漱石は『吾輩は猫である』から「二人で一人」という主人公に関する最も大切な小説作法を学んでいたことになる。

見かけ上どれだけかけ離れていようとも、主人公論の観点から見れば、『坊っちゃん』は『吾輩は猫である』とほぼ同じ構造を持った小説である。『坊っちゃん』が〈坊っちゃん〉の「手記」か、あるいは「話」である以上、語る〈坊っちゃん〉と語られる〈坊っちゃん〉から成り立っているという同じ構造を持っているからである。しかも、この両者はやはり微妙にズレている。

東京に戻って「街鉄の技手」に収まった〈坊っちゃん〉は「死んだ」という論者がいる。〈坊っちゃん〉が〈坊っちゃん〉であるならば、東京でも一暴れしなければ〈坊っちゃん〉らしくないというわけだ。この問題を〈坊っちゃん〉の語りの構造から解き明かしたのが、小森陽一だった。小森は、冒頭の「なぜそんな無闇をしたと聞く人があるかも知れぬ」という一節について、このように分析している。

〈坊っちゃん〉は、校舎の二階から飛び降りた彼について、「なぜそんな無闇をした」

のかと「聞く人」を内面化して、その「聞く人」に向けて語っているというのである。つまり、語る〈坊っちゃん〉はすでに常識人となっていると（『構造としての語り』）。〈坊っちゃん〉の語りは、常識人との対話を内包していることになる。〈坊っちゃん〉は、すでに四国の城下町で一暴れしてきた（もっとも、彼は赴任した中学校で起きていた赤シャツと山嵐の権力闘争の脇役でしかなかったが）世間知らずの青年ではなくなっていたのである。四国で一暴れした世間知らずの〈坊っちゃん〉と、東京に帰ってその武勇伝を語る常識人の〈坊っちゃん〉。いわば二人の主人公である。語る〈坊っちゃん〉と語られる〈坊っちゃん〉は微妙にズレていて、もう同一人物ではない。「二人で一人」である。この構造が『吾輩は猫である』と同じなのである。

『坊っちゃん』も入れ子構造になっている。『吾輩は猫である』の「猫」と同じように、〈坊っちゃん〉は彼自身の語る四国の城下町で起きた物語の登場人物でもある。そこでは、世間知らずの〈坊っちゃん〉は常識人である山嵐と微妙にズレたコンビを組む。山嵐は騒動の主役になり、〈坊っちゃん〉は騒動に巻き込まれる。この構図からもユーモアが生み出される。山嵐と〈坊っちゃん〉もまた「二人で一人」なのである。これが主人公論の観点から見た『坊っちゃん』である。

『草枕』は、一人称語りの小説であり、漱石の意識としては写生文だったにちがいない。語り手の西洋画家は、彼の芸術論と文明批評を開陳して得意である。それだけならただの自家中毒のようなものでしかないが、彼の目の前に「観察」し続けなければならない女性が現れる。那美である。

あの女の所作を芝居と見なければ、薄気味がわるくて一日も居たたまれん。義理とか人情とか云う、尋常の道具立を背景にして、普通の小説家の様な観察点からあの女を研究したら、刺激が強すぎて、すぐいやになる。現実世界に在って、余とあの女の間に纏綿《てんめん》した一種の関係が成り立ったとするならば、余の苦痛は恐らく言語に絶するだろう。余のこの度の旅行は俗情を離れて、あくまで画工になり切るのが主意であるから、眼に入《い》るものは悉く画として見なければならん。能、芝居、若《も》しくは詩中の人物としてのみ観察しなければならん。この覚悟の眼鏡から、あの女を覗いて見ると、あの女は、今まで見た女のうちで尤《もっと》もうつくしい所作をする。自分でうつくしい芸をして見せると云う気がないだけに役者の所作よりも猶《なお》うつくしい。

那美のしていることは、『三四郎』で漱石が書こうとした「無意識の偽善」（無意識の演技と言うべきか）という言葉になるだろう。この一節で画家が言っているのは、「あの女について考え続けているが、わからない」ということだ。いかにも小説的主人公である。画家は、ある地点に自分を固定して世の中を「観察」しようと思っている。それが可能だと思っている。しかし、それでは「あの女」は「謎」以外の何ものでもない。だから、画家は「あの女」に振り回される。

「あの女」をきちんと見るには画家が自分の位置を変えなければならない。「あの女」のではなく「那美さん」の顔一面に「憐れ」が浮かび上がったとき「余が胸中の画面はこの咄嗟の際に成就した」のは、「あの女」が画家の位置に動いたのではない。画家が「あの女」の「無意識の偽善」による誘惑によって、「あの女」の位置まで動いたのだ。

もちろん、この末尾を「あの女」の方が画家の絵の構図のなかにすっぽり収まったと読んでもいい。しかし、それでは当代きっての教育を受けて身をこわばらせている後期三部作の主人公たちと何ら変わらない。『草枕』の語り手を東京帝国大学出身の知識人ではなく、ほかならぬ画家に設定した意味がない。『草枕』は、「女性の謎」を「観察」する位置にとどまっていたのでは意味が結ばれないことを画家が学ぶ物語なのである。ただ、漱石は画家ほどには学ばなかったようで、後の『行人』によって再びテーマ化される。

画家はのちの漱石的主人公の原型でありながら、芸術家だけあって対象に入れ込むことを恥じていない。対象の方へ動くことを恥じていない。そう言ってよければ、「女性の謎」に振り回されることを楽しんでいる。これが画家の「余裕」である。この画家もやはり一人で物語的主人公と小説的主人公を兼ねている。漱石文学のなかで、「二人で一人」がもっとも有効に機能し、成功した小説だと言っていい。

『二百十日』と『野分』は、「二人で一人」がもっとも有効に機能しなかった小説だと言い切っていい。『二百十日』はほぼ圭さんと碌さんの対話劇のような小説だが、そもそも「対話」になっておらず、ほとんどモノローグでしかない。『野分』の白井道也と高柳は、高柳が白井を慕いすぎて「二人で一人」の相乗効果を生み出していない。読者が高柳に感情移入することがそのまま白井道也に感情移入することになってしまう。小説中に読者の居場所がないのだ。

それに、白井道也は「何かについて考える」人物ではなく、誤解をおそれずに言えば、ただ考えるだけの人物である。世界を見ていない。その主張は保守反動的で浮世離れしていて、空回りしている。はっきり言って、間抜けすぎて滑稽である。しかし、『野分』のような小説を書きたくて朝日新聞社の専属作家となった漱石は、これを失敗だとは考えなかったようだ。

朝日新聞社入社第一作『虞美人草』は、『野分』とほぼ同じ失敗を繰り返している。『虞美人草』については、藤尾を「殺す」正当な理由がないことを書いてしまったことによって、漱石は期せずして近代小説を書いたという卓抜な論もあるが（水村美苗『日本語で書くということ』筑摩書房、二〇〇九・四）、こと主人公論の観点から見る限り、失敗作だと断言していい。これまで述べてきたこととはちがった意味で、「二人で一人」でしかないからである。いや、「二人なのに一人」と言うべきかもしれない。

登場人物を見れば、甲野欽吾は「〜について考える」ような小説的主人公に、宗近一は行動する物語的主人公に見える。しかし、甲野欽吾は「〜について考える」のではなく、白井道也と同じようにただ考えているだけであって、「〜について」ではない。しかも、やはり世界を見ておらず、その主張は浮世離れした保守反動、空回りである。とても、小説的主人公とは言えない。魅力的な人物でもない。宗近一は甲野の別働隊のようなもので、何の変化もない。つまり、物語的主人公＝変わる主人公ではない。

この物語を統御しているのは甲野欽吾であって、語り手さえもが「甲野さん」と呼んで、甲野のあとを追いかけているかのような趣がある。登場人物も語り手も読者さえも甲野欽吾を動かすことはできない。したがって、甲野欽吾は主人公と言うよりは「作者」である。『虞美人草』の漱石は読者を信頼していなかったから、テクストの中に読者の位置を作らず、啓蒙家として振る舞いすぎたのである。

様々な「二人で一人」

『坑夫』には「矛盾」という言葉が頻出する。

> 人間の性格は一時間毎に変っている。変るのが当然で、変るうちには矛盾が出て来る筈だから、つまり人間の性格には矛盾が多いと云う意味になる。矛盾だらけの仕舞は、性格があってもなくっても同じ事に帰着する。

これが「坑夫」の書き手が述べる「無性格論」の根拠である。だとすれば、アイデンティティを保証する場はないことになる。ここで注目したいのは、『坑夫』に「矛盾」

という言葉が頻出することである。この言葉をここまで論じてきた時代的なコンテクストに置くなら、これは「女」を語る言葉だった。漱石がそれを意識して『坑夫』を書いたとは言わない。しかし、漱石ははからずも「矛盾」という言葉で結局坑夫にならなかったこの青年を書き、同時代的には外面からは統一された自我を持てない存在と見なされていた「女」の内面を書いていたのではなかったか。

だから、漱石は『三四郎』の里見美禰子をあれほど魅力的な「女」として書くことができたのではないだろうか。漱石は『坑夫』で「男＝青年」を書いたつもりだったが、その実「女」を書いてしまっていた。これは漱石のジェンダー・トラブルとも言うべき事件だった。

こうして漱石は、「男」には「矛盾」にしか見えない里見美禰子の「謎」を、ある奥行きを持った、言い換えれば、読者には見えにくいが美禰子個人の物語を持った「女性の謎」として書くことができたのではなかったか。だからこそ、美禰子の「女性の謎」の奥行きに伴って、小川三四郎は「二人で一人」と言うよりは、「一人で二人」を担う主人公として「成長」している。

物語はじめの三四郎は、名古屋で「同衾事件」を起こした女性について、「元来あの女は何だろう。あんな女が世の中に居るものだろうか。女と云うものは、ああ落ちついて平気でいられるものだろうか」と、まさに「女性の謎」について考える主人公だった。その後の三四郎は「美禰子について考え続ける」ような小説的主人公であり、同時に、

「四丁目の夕暮れ」を思い出しながら、教会の前で「結婚なさるそうですね」と、三四郎なりのやり方でかなうはずもないプロポースの言葉を美禰子にかける青年に「成長」した。

　これは野々宮宗八にはついに言えなかった言葉で、不完全ながらも「初心な田舎ものの青年が都会風の求婚する青年に成長する物語」の主人公に、すなわち物語的主人公にもなっている。三四郎は、たとえば「学生生活の裏面に横たわる思想界の活動には毫も気が付かなかった」というような語り手の言葉によって物語の内部に閉じ込められた人物で、甲野欽吾のように物語の外へ出ることは決してできなかった。三四郎のように一登場人物の枠からでないことが、主人公に求められる資格だった。その意味でも、漱石は『虞美人草』の失敗から多くのことを学んだようだ。

　それに東京帝国大学の正科生ではない与次郎には、小川三四郎を読者に紹介する役割を与えている。漱石が、東京帝国大学生の上京青年が「新奇なもの」であることを十分に意識した証だろう。

『それから』の長井代助は「三千代について考え続ける人物」で、これだけで充分に小説的主人公のように見える。しかし、これでは少しも「謎」はなく、底が浅い主人公になってしまう。代助はすべてのことをわかっているように見えるが、そうではない。

　平岡は眼を丸くして又代助を見た。代助は少し呼吸が逼《せま》った。けれども、罪あるものが雷火に打たれた様な気は全たくなかった。彼は平生にも似ず論理に合わない事をただ衝動的に云った。然しそれは眼の前にいる平岡のためだと固く信じて疑わなかった。彼は平岡夫婦を三年前の夫婦にして、それを便《たより》に、自分を三千代から永く振り放そうとする最後の試みを、半ば無意識的に遣っただけであった。自分と三千代の関係を、平岡から隠す為の、糊塗策とは毫も考えていなかった。代助は平岡に対して、さ程に不信な言動を敢てするには、余りに高尚であると、優に自己を評価していた。

傍線部が、語り手が代助の無意識を炙り出しているところである。実は、三千代は代助の無意識の底に沈められており、代助自身も自分はいったい何について考え続けているのか充分に自覚できてはいないのだ。『それから』は花の小説で、代助は花の交配をしながら、三千代と無意識の底でインターコースをしている。一方の三千代は花になりたかった女だ。それでこそ、代助は自覚しないまま「女性の謎」について考え続けていたことになる。

『門』の野中宗助の参禅について、後期三部作の主人公たちを踏まえて、柄谷行人は「これらの小説の主人公たちは、元来倫理的な相対的な場所にいたのだが、ある時点から漱石固有の問題をかかえこんでしまい、まったく異質の世界に移行してしまった」(『畏怖する人間』冬樹社、一九七二・二)と論じている。これは的を射ている。小説の構成と主人公たちの悩みが釣り合っていないというわけだ。

特に宗助は「なにかについて考える人物」であるにはちがいないのだが、「女性の謎」に悩むでもなく、読者が彼に感情移入する役割を果たす人物もおらず、何を悩んでいるのか、彼自身にもよくわからない。宗助自身が参禅して自分が何を悩んでいるのかを知ろうとするありさまなのだ。漱石文学の登場人物のなかでもっとも不思議に見える主人公かもしれない。

柄谷行人はいわば漱石的主人公は『門』の宗助からはじまるように論じている。『彼岸過迄』の須永市蔵、『行人』の長野一郎、『こころ』の「先生」は、みな自分とは何かという実存的な悩みを悩んでいるが、もちろん答えは出ない。そこで、空虚な自己の中心を埋めるために「自分を愛してくれるたった一人の女性」を求めるが、その女性こそが「謎」の中心となってしまう。すなわち、後期三部作主人公たちは実存を賭けて「女性の謎」に悩み続けるのである。

彼らこそが小説的主人公＝漱石的主人公である。彼らの救いは、それぞれ田川敬太郎、Hさん、青年と、その悩みの聴き手を持っていることだ。漱石的主人公の誕生は、同時に聴き手の誕生でもあった。この聴き手が漱石的主人公の悩みを未来に開いていくのである。まさに「二人で一人」である。それが彼らの幸いだと言えるだろう。

ベネディクト・アンダーソンの説に従えば、『それから』は、主人公の長井代助と父親の長井得との世代間の断絶を書いて、漱石的主人公たちが青年であることの意味がはっきり示される小説だ。後期三部作にいたって、それまで青年を主人公としていた漱石が、中年男性を主人公として書き始めたのは、彼ら知識人青年たちが「新奇なもの」ではなくなってきたと意識したか、自分自身の小説でその「新奇なもの」を消費し尽くしたと考えたからかもしれない。

『道草』の健三は、大学の講義よりも妻・お住のヒステリーが気にかかる。親類のことも気にかかる。まさに「〜について考える人物」なのだが、この「〜」は身近な人物なのである。これが後期三部作の主人公たちと決定的にちがっているところである。さらに健三は小説の終盤で書く喜びを見いだす物語の主人公ともなる。健三は小説的主人公と物語的主人公とを兼ねている。見かけはどれだけちがっていても、主人公論の観点からは、『三四郎』とほぼ同じ構造を持っている。

『明暗』のお延は、愛についてお秀と議論して、こういう言葉を口にする。

「一体一人の男が、一人以上の女を同時に愛する事が出来るものでしょうか」

漱石文学において、これは驚くべき言葉である。この問いこそは、それまで漱石的主人公たちが問い続けた問いだからである。お延はこういう言葉も口にする。

「あたしはどうしても絶対に愛されて見たいの。比較なんか始めから嫌いなんだから」

　これは、漱石的主人公たちがどうしても言いたくて、しかしついに言うことができなかった言葉ではないだろうか。漱石は、お延にそれまでの「男」の悩みを悩ませているのだ。それは、漱石が「女」を「男」と同じ問題を抱えることができる存在として認識したからにほかならない。このときお延は漱石的主人公になっている。漱石は、お延を「男」として書いたのだ。お延に「新しい女」を感じることができるとするなら、その理由はこの点をおいてほかにない。「男」として「女」を書くこと、「女」として「男」を書くこと。漱石はそのようにして「女」を書いた、あるいは、そのようにしてしか「女」を書くことができなかった。女性主人公はこうして誕生した。これこそが、漱石のジェンダー・トラブルと言うべき事件だった。こうして漱石はジェイン・オースティンになった。

　卒業論文で『虞美人草』を論じる奇特な学生がいて、そのアドバイスをしながら気づいたことがある。カール・マルクス『ルイ・ボナパルトのブリュメール18日』（丘沢静也訳、講談社学術文庫、二〇二〇・四）の冒頭である。

　ヘーゲルはどこかで〔『歴史哲学講義』で〕、すべての世界史的な大事件や大人物はいわば二度あらわれる、と言っている。だが、こうつけ加えるのを忘れた。一度は悲劇として、もう一度は茶番《ファルス》として、と。

言うまでもなく、『虞美人草』の末尾の一句との照応である。甲野欽吾は彼なりの人生哲学を、外交官としてロンドンに渡った親友の宗近一に送る。そのあと——。

宗近君の返事にはこうあった。——

「此所では喜劇ばかり流行る」

ロンドンに留学した漱石は、大英帝国を繁栄させたヴィクトリア女王の葬儀を見ることになった。そこから大英帝国の没落が始まった。だとすれば、宗近のいるロンドンは大英帝国の影を追いかける「喜劇」の時代にあったはずだ。それだけではない。当時の日本がまさにそうだった。二度目の大英帝国を目指していたのだ。まさに「茶番《ファルス》」ではないだろうか。「二人で一人」の主人公を用意して小説を書き続けた漱石は、「茶番《ファルス》」ばかり書き続けたのではなかっただろうか。いや、「新奇なもの」が「茶番《ファルス》」に見えるように書き続けたと言った方が正確かもしれない。

宗近がロンドンに渡ったのが一九〇七年。『明暗』が書かれたのは一九一六年。一九一六年から一九〇七年の漱石を見たなら、『虞美人草』の漱石は藤尾を「殺す」どころか、その亡霊に取り憑かれ続けていたように見える。日本で近代小説の基礎を作ったとされる漱石が『明暗』の地点に至るまでには、藤尾という一人の女性が犠牲にならなければならなかった。『自分ひとりの部屋』が刊行されたのが一九二九年。ヴァージニア・ウルフは、ジェイン・オースティンになりたかった『明暗』の漱石を笑うだろうか。

おわりに

学生が小説について論じている文章を読んでいると、「読者」という言葉が出てくることがある。ところが、よく読んでみるとその「読者」とは結局は論者自身のことだったということが少なくない。それでは、感想文でしかない。そういう「読者」から少しでも離陸できればという願いを込めてこの本を書いてみた。

この本で試みたのは、次の四つのことだ。少し難しい書き方になることをお許し願いたい。

第一は、日本の近代文学研究では、どのようなパラダイムを背景に「読者」が問題として浮かび上がってきたのかについて明らかにすること。近代文学研究の源泉は夏目漱石の後期三部作にあって、それが後に「近代的自我」というタームとして定着して、作家論にしろ、作品論にしろ、このタームが研究のメルクマールとなったところから戦後の近代文学研究が本格的にはじまった。その後、近代文学研究のパラダイムは「現代思想」のパラダイム・チェンジとリンクしながら、おおよそ十五年周期で交代していることを素描した。これはなにも研究者だけに向けて書いたのではない。むしろ、一般の読者になぜ「読者」が問題となるのかを知ってもらうために書いたのである。

第二は、小説テクストにおいて「読者」がどのような機能を果たしているかを明らかにすること。この場合の「読者」は現実世界に実在している読者とまったく手を切っているわけではないが、現実世界からは相対的に自立しており、小説テクストの呼びかけに応えるような「読者」である。また、現実世界の経験をもとに、私たちが小説テクストを四つの物語に類型化して読むだろうことにも触れておいた。要するに、「読者」は現実世界と小説テクストとの間に概念として「存在」するのである。この構造を説明するためには、「語り手」という概念が機能しなければならないことも、実例を示して論じた。これは一般の読者に、小説テクスト内で自分がどのような「読者」になっているかということに自覚的になってほしいために書いたのである。

第三は、こうした読者論とカルチュラル・スタディーズとの接続を試みたこと。そのために「内面の共同体」というやや舌足らずな概念を提案した。「内面の共同体」とは、他人も自分と同じように読んでいるだろうという間主観的な意識で、現実には読者の内面を規定していながら、読者が十分には意識化できないようなパラダイムのことである。

ある時代の文学がある感性を共有することは、これまでも研究で明らかにされてきた。まとまった仕事としては藤井淑禎『不如帰の時代――水底の漱石と青年たち』（名古屋大学出版会、一九九〇・三）がある。愛する女性が幸薄く結核で先立つ悲話に戦争による死の恐怖や〈家〉の問題も手を貸して成立した「隠喩としての病い」（スーザン・ソンタグ）というパラダイムが数々の類似した物語を生み出した時代について指摘しているが、理論的な遠近法を導入していないので、やや平板な記述になっている。

文学と時代という点では、カルチュラル・スタディーズを逸することはできない。特にメディア研究としては、雑誌『季刊文学』（岩波書店）の三回の特集があった。「メディアの政治力」（一九九三・四）、「メディアの造形性」（一九九四・七）、「出版文化としての近代文学」（一九九八・一）である。さらに近代文学研究のまとまった先駆けとしては、小森陽一・紅野謙介・高橋修編『メディア・表象・イデオロギー――明治三十年代の文化研究』（小沢書店、一九九七・五）と金子明雄・高橋修・吉田司雄編『ディスクールの帝国――明治三〇年代の文化研究』（新曜社、二〇〇〇・四）がある。近代がさまざまな事物や概念を「発明」したことに気づかせる論集だったが、多くの論考で「近代は抑圧の装置だ」という告発的な色彩が強く、政治的な論文集という趣が強かった。

また、日本でもこれまでまとまった読者論がいくつかあった。外山滋比古『近代読者論』（みすず書房、一九六九・一）のいわば読者の現象学的考察、前田愛『近代読者の成立』（有精堂、一九七三・一二）の読者層と読書の変遷に関する研究、小森陽一『構造としての語り』（新曜社、一九八八・四）の語り手と読者の力学に関する研究、藤森清『語りの近代』（有精堂出版、一九九六・四）の主に明治期の文学における「語り手」の機能に関する研究、和田敦『読むということ』（ひつじ書房、一九九七・一〇）と『メディアの中の読者』（同、二〇〇二・五）における読書論の構築と現実の読書に関する研究、藤井淑禎『小説の考古学へ』（名古屋大学出版会、二〇〇一・二）の同時代における小説の読まれ方に関する研究と同時代の読者の絶対視などである。個々の論文ならほかにいくらでもある。

この本ではこれらの仕事を参照しながらも、それを作り替えることを目指した。具体的には、ある時代の感性が同じような物語を生産してしまうようなシステムを理論的に明らかにするために、また、ある時代のイデオロギーが内面化されて小説テクストとして具現化されるシステムを理論的に明らかにするために、「内面の共同体」という装置を仮設してみたのである。ただし、これはまだ問題提起に留まっている。

第四は、柄谷行人『近代文学の終り』（インスクリプト、二〇〇五・一一）に対する、異議申し立てを試みたこと。柄谷行人は「内面」を書くような近代文学は終わったと説くが、それは現代社会の内面に対するパラダイムと読者との結びつき、すなわち内面の共同体を無視した議論ではないだろうか。この点について、現代の内面志向のパラダイムを前提に、最近の小説を例に文学の内面志向について論じた。

以前からそうしてきたが、これらの課題のために文学理論を援用することをためらわなかった。日本文学研究には文学理論アレルギーがあるようだが、そして最近の保守化傾向は特にひどい状況だが、使えるものは何でも使ってみればいいと思う。問題は使うか使わないかではなく、その成果がどれだけあったかだけだ。文学研究には「実証」できなくても論じなければならない領域があると思っている。「読者」はそのさいたるものだが、このレベルまでは共通理解としておきたいことを書いた。

これらの議論を通して、私たち読者がいまどこにいるかが問われることになるだろう。また、私たち読者がどういう仕事をしているかが問われることになるだろう。この本が、多くの読者にとって自らを映し出す鏡のような役割を果たせたら嬉しい。


なお、この本は研究者向けの書き方をしていないが、それには理由がある。

近年文学部の衰退傾向が顕著だが、それはある意味では「政治的正しさ」の結果だと言える。一九八六年に施行された男女雇用機会均等法以後、好景気を背景に、徐々にではあるがそれまでと比べて女性の就職の機会と社会的成功の機会が確実に増えたために、家政学部と文学部に閉じこめられていた女子学生が他の学部に進出するようになったからである。

そういう状況の中でも、単なる既得権の確保のためではなく、文学部に現代的な存在意義があると考えるなら、それを社会に向けて発信していかなければならないだろう。もちろん、研究には研究にしかできない仕事がある。それには敬意をはらわなければならないと思う。問題はその発信のし方である。そういう意味で、学界＝学会向けの自己満足と言うよりは自家中毒と呼んだ方が適切な言説は、いまの私には必要がない。

以下に、いくつかの感謝の気持ちを書いておきたい。

私は今年、勤務先の早稲田大学から「特別研究期間」（サバチカル）をいただいている。この本はその成果の一部である。私の精神衛生上（?）学生との接点を失いたくないので、週に一度学部と大学院のゼミだけはもっているし、いくつかの全学的な委員は継続しているが、それ以外の仕事からは解放されている。早稲田大学と教育・総合科学学術院と国語国文学科の同僚に感謝したい。

東野圭吾『容疑者χの献身』の読解には自信がなかった。そこで、成城大学時代に学部・大学院を通じて私のゼミ生で、探偵小説の研究論文もあって、いまは北海道の高校で国語を教えているK君に知恵を貸してもらった。また、いまのゼミ生である東野圭吾ファンのYさんは本文にちょっと登場してもらったが、おそらく私に気を遣わせないように「暇ですから」と言いながら、アマゾンの五〇〇件近いレビューすべてに目を通してくれて、携帯電話に触れていたものが一件だけあったことを報告してくれた。いずれも、とてもありがたかった。

この本は、「河出ブックス」の創刊ラインナップに読者論を書いてほしいと、編集第一部人文課課長にして「河出ブックス」編集長の藤﨑寛之さんが勧めてくださったものだ。光栄な話である。それに、これまでの私の本は章ごとに独立した構成のものが多く、一つのテーマで一冊の本をまとめて書いたものはあまりなかった。私は、言ってみれば「短編作家」のようなものではないかと思いはじめていたので、得がたい経験をさせてもらってありがたかった。タッチタイプができないのでタイプミスの多い原稿を丁寧に修正して入稿して下さるなどの細心の編集や、それこそ「河出ブックス」が想定する読者へ向けた文章の調律なども含めて、心から感謝申し上げたい。

私はこれまでも読者についてはずいぶん書いてきたので、それらを再利用した部分や大幅に加筆して組み込んだところも少なくない。その点は読者のみなさんにご容赦願えればと思っている。

二〇〇九年九月

石原千秋

文庫版あとがき

個人的なことを書かせてほしい。

長い文章を書くことから遠ざかっていた。四年近くなるだろうか。

理由ははっきりしている。その時間が取れなかった。全国大学国語国文学会という学会の改革チームのまとめ役になってしまったからだ。いつの頃からか学会に関心が持てなくなっていた私がこういう役を引き受けたのは、自分も若い頃には学会に育ててもらったという思いがあって、どこかでその恩返しをできればとか、これから研究を始める人たちが参加できる場を持続可能な組織にしなければとか、そんなふうに考えたからだ。それがたまたまこの学会の改革だったのである。

創立以来六〇年以上続いた制度を大改革できたのは、成城大学時代に授業を受けた中西進会長の決断があったからだが、やはり並大抵のことではなかった。そもそも六〇年で三人の会長しかいないという、直接選挙の会長制自体を廃止した。もうこの業界にスーパースターは現れない、小山の大将を作ってもしかたがない。改革の準備にほぼ二年。

そして、旧制度の最後の事務局と、新制度の最初の事務局を引き受けた。これに二年。その四年間、三時間以上睡眠が取れた日は数えるほどしかなかった。

無事に終えられるとは思っていなかった。かなりの無理ができたのは、理念づくりに参加した田坂憲二先生、改革を始めた事務局の原由来恵先生、現事務局の大石泰夫先生という志を同じくする同志が最後まで行動を共にしてくれたからだ。改革の最中に事務局を引き受ける人はいない。悩む私を見るに見かねて「中西先生との関係もおありでしょうから、早稲田大学で引き受けてもいいですよ」と申し出て下さった同僚の福家俊幸先生には感謝の言葉もない。ご迷惑だろうけれども、四人の先生のお名前を記しておきたかった。

改革は多くの人を傷つけたし、私もいくつかの病を得た。二〇二〇年六月三〇日に事務局の任期を終えたその次の日、引き受けた時から心に決めていたとおり、学会自体を退会した。この日に退会する手続きはかなり前に終えていた。

「いかにも平凡な私の人生経験としては面白かったかも」とは思ったが、自分で自覚している以上に疲れ切っていることがしだいにわかってきた。何よりも、組織のことを中心に考えてきた四年間が私の心身に与えた影響はあまりにも大きく、頭というか心身の切り替えができなかった。もう文学について深く考えることはできないのではないかという恐怖を覚えるようになっていた。

そんな折りに、『読者はどこにいるのか　書物の中の私たち』を河出文庫に入れてくれるという話をいただいた。ついては原稿用紙三〇枚から四〇枚ほど増補してもらえないかと。私は気に入った本が文庫になったらまた購入する。増補があれば嬉しい。でも、たいていは形ばかりの増補が多い。それは好きではなかった。装幀は水戸部功さんに依頼してくれると言う。ジャケット買いをよくする私としては嬉しく、俄然やる気が出た。おそらくこうした気分が作用したのだろう、増補は二章分で、八〇枚近くになった。半月ほど集中できたことが、私を元いた場所に少し連れ戻してくれたように感じた。

すでにある本編の加筆と修正は最小限にとどめた。一〇年以上の月日が、私の文章を「作品」にしていて、新たな手入れを容易に受け付けなかった。

そこで、増補分では論点の重複をいとわず、ヴァージニア・ウルフ『自分ひとりの部屋』を大枠として、すでに本編で参照したベネディクト・アンダーソン『定本　想像の共同体　ナショナリズムの起源と流行』とピエール・ブルデュー『ディスタンクシオン』の参照のしかたを変えて、日本の近代小説の起源について論じてみた。私が言いたかったことは一つ。日本の近代小説がポストモダンの性格を持ったのには歴史的必然性があったということだ。その意味で、この増補分は十数年考えてきたことの総決算でもあり、新しいテーマへの糸口でもある。

編集を担当して下さった藤崎寛之さんは不思議な人で、私にとって何か節目となる時にふっと現れて仕事を依頼する。それが新たな節目を作る。この増補分がまさにそうだった。社会復帰には実に適切な分量の仕事だった。もしいまの私を振り返るときが来て、その時私がまとまった文章が書けるようになっていたなら、藤崎さんのおかげだと思うだろう。だから、心から感謝申し上げたい。

石原千秋

二〇二一年六月三〇日

本書は、二〇〇九年一〇月に小社より刊行された『読者はどこにいるのか　書物の中の私たち』に第九章、第一〇章を増補し、副題を改題した上で文庫化したものです。

読者論入門《どくしゃろんにゅうもん》

読者《どくしゃ》はどこにいるのか

二〇二一年 七 月一〇日 初版印刷
二〇二一年 七 月二〇日 初版発行

著　者　石原千秋《いしはらちあき》
発行者　小野寺優
発行所　株式会社河出書房新社
〒一五一－〇〇五一
東京都渋谷区千駄ヶ谷二－三二－二
電話〇三－三四〇四－八六一一（編集）
〇三－三四〇四－一二〇一（営業）
https://www.kawade.co.jp/

ロゴ・表紙デザイン　粟津潔
本文フォーマット　佐々木暁
本文組版　KAWADE DTP WORKS
印刷・製本　凸版印刷株式会社

Printed in Japan ISBN978-4-309-41829-2

漱石入門

石原千秋　41477-5

６つの重要テーマ（次男坊、長男、主婦、自我、神経衰弱、セクシュアリティー）から、漱石文学の豊潤な読みへと読者をいざなう。漱石をこれから読む人にも、かなり読み込んでいる人にも。

小説の聖典《バイブル》　漫談で読む文学入門

いとうせいこう×奥泉光＋渡部直己　41186-6

読んでもおもしろい、書いてもおもしろい。不思議な小説の魅力を作家二人が漫談スタイルでボケてツッコむ！　笑って泣いて、読んで書いて。そこに小説がある限り……。

小説の読み方、書き方、訳し方

柴田元幸／高橋源一郎　41215-3

小説は、読むだけじゃもったいない。読んで、書いて、訳してみれば、百倍楽しめる！　文豪と人気翻訳者が〈読む＝書く＝訳す〉ための実践的メソッドを解説した、究極の小説入門。

アウトブリード

保坂和志　40693-0

小説とは何か？　生と死は何か？　世界とは何か？　論理ではなく、直観で切りひらく清新な思考の軌跡。真摯な問いかけによって、若い表現者の圧倒的な支持を集めた、読者に勇気を与えるエッセイ集。

言葉の外へ

保坂和志　41189-7

私たちの身体に刻印される保坂和志の思考――「何も形がなかった小説のために、何をイメージしてそれをどう始めればいいのかを考えていた」時期に生まれた、散文たち。圧巻の「文庫版まえがき」収録。

カフカ式練習帳

保坂和志　41378-5

友人、猫やカラス、家、夢、記憶、文章の欠片……日常の中、唐突に訪れる小説の断片たち。ページを開くと、目の前に小説が溢れ出す！　断片か長篇か？　保坂和志によって奏でられる小説の即興演奏。

紫式部の恋　「源氏物語」誕生の謎を解く

近藤富枝　41072-2

「源氏物語」誕生の裏には、作者・紫式部の知られざる恋人の姿があった！　長年「源氏」を研究した著者が、推理小説のごとくスリリングに作品を読み解く。さらなる物語の深みへと読者を誘う。

花咲く乙女たちのキンピラゴボウ　前篇

橋本治　41391-4

読み返すたびに泣いてしまう。読者の思いと考えを、これほど的確に言葉にしてくれた少女漫画評論は、ほかに知らない。——三浦しをん。少女マンガが初めて論じられた伝説の名著！　書き下ろし自作解説。

花咲く乙女たちのキンピラゴボウ　後篇

橋本治　41392-1

大島弓子、萩尾望都、山岸涼子、陸奥A子……「少女マンガ」がはじめて公で論じられた、伝説の名評論集が待望の復刊！　三浦しをん氏絶賛！

瓦礫から本を生む

土方正志　41732-5

東北のちいさな出版社から、全国の〈被災地〉へ。東日本大震災の混乱の中、社員２人の仙台の出版社・荒蝦夷が全国へ、そして未来へ発信し続けた激動の記録。３・11から10年目を迎え増補した決定版。

絶望読書

頭木弘樹　41647-2

まだ立ち直れそうにない絶望の期間を、どうやって過ごせばいいのか？　いま悲しみの最中にいる人に、いつかの非常時へ備える人に、知っていてほしい絶望に寄り添う物語の効用と、命綱としての読書案内。

時間のかかる読書

宮沢章夫　41336-5

脱線、飛躍、妄想、のろのろ、ぐずぐず——横光利一の名作短編「機械」を十一年かけて読んでみた。読書の楽しみはこんな端っこのところにある。本を愛する全ての人に捧げる伊藤整賞受賞作の名作。

10代のうちに本当に読んでほしい「この一冊」

河出書房新社編集部〔編〕　41428-7

本好き三十人が「親も先生も薦めない本かもしれないけど、これだけは若いうちに読んでおくべき」と思う一冊を紹介。感動、恋愛、教養、ユーモア……様々な視点からの読書案内アンソロジー。

新しいおとな

石井桃子　41611-3

よい本を、もっとたくさん。幼い日のゆたかな読書体験と「かつら文庫」の実践から生まれた、子ども、読書、絵本、本づくりをめぐる随筆集。文庫化にあたり再編集し、写真、新規原稿を三篇収録。

ことばと創造　鶴見俊輔コレクション4

鶴見俊輔　黒川創〔編〕　41253-5

漫画、映画、漫才、落語……あらゆるジャンルをわけへだてなく見つめつづけてきた思想家・鶴見は日本における文化批評の先駆にして源泉だった。その藝術と思想をめぐる重要な文章をよりすぐった最終巻。

考えるということ

大澤真幸　41506-2

読み、考え、そして書く——。考えることの基本から説き起こし、社会科学、文学、自然科学という異なるジャンルの文献から思考をつむぐ実践例を展開。創造的な仕事はこうして生まれる。

哲学の練習問題

西研　41184-2

哲学するとはどういうことか——。生きることを根っこから考えるためのQ＆A。難しい言葉を使わない、けれども本格的な哲学へ読者をいざなう。深く考えるヒントとなる哲学イラストも多数。

集中講義　これが哲学！　いまを生き抜く思考のレッスン

西研　41048-7

「どう生きたらよいのか」——先の見えない時代、いまこそ哲学にできることがある！　単に知識を得るだけでなく、一人ひとりが哲学するやり方とセンスを磨ける、日常を生き抜くための哲学入門講義。